海外漢文古醫籍精選叢書・第三輯

2011—2020年國家古籍整理出版規劃項目
2018年度國家古籍整理出版專項經費資助項目
中國中醫科學院「十三五」第一批重點領域科研項目
——我國與「一帶一路」九國醫藥交流史研究（ZZ10-011-1）

蕭永芝◎主編

# 十五指南篇

〔日〕曲直瀨玄朔　撰

# 斷毒論

〔日〕橋本伯壽　撰

29

北京科學技術出版社

圖書在版編目（CIP）數據

十五指南篇；斷毒論/蕭永芝主編. —北京：北京科學技術出版社，2019.1
（海外漢文古醫籍精選叢書. 第三輯）
ISBN 978 - 7 - 5714 - 0011 - 8

Ⅰ. ①十… Ⅱ. ①蕭… Ⅲ. ①中醫臨床—日本—近代 Ⅳ. ①R24

中國版本圖書館 CIP 數據核字（2018）第293415號

**海外漢文古醫籍精選叢書·第三輯·十五指南篇　斷毒論**

主　　編：蕭永芝
策劃編輯：李兆弟　侍　偉
責任編輯：吕　艷　周　珊
責任印製：李　茗
出 版 人：曾慶宇
出版發行：北京科學技術出版社
社　　址：北京西直門南大街16號
郵政編碼：100035
電話傳真：0086-10-66135495（總編室）
0086-10-66113227（發行部）　0086-10-66161952（發行部傳真）
電子信箱：bjkj@bjkjpress.com
網　　址：www.bkydw.cn
經　　銷：新華書店
印　　刷：北京虎彩文化傳播有限公司
開　　本：787mm × 1092mm　1/16
字　　數：270千字
印　　張：22.5
版　　次：2019年1月第1版
印　　次：2019年1月第1次印刷
ISBN 978 - 7 - 5714 - 0011 - 8/R · 2566

定　　價：**680.00元**

海外漢文古醫籍精選叢書·第三輯

# 十五指南篇

〔日〕曲直瀨玄朔　撰

# 内容提要

《十五指南篇》，又名《醫學指南》《醫學十五指南》《醫工指南》《十五指南》，因全書分醫學、醫法、診切、立方、用藥（五、六兩篇）、辨劑、辨治、治療、治例、治法、脾胃、戒慎、療養、攝養等十五篇論述醫學知識而得名，爲日本著名醫家曲直瀨玄朔的代表作之一。

## 一　作者與成書

《十五指南篇》書中未署作者姓氏，日本《國書總目録》著録作者爲曲直瀨道三（正慶），❶日本學者矢數道明將本書歸爲曲直瀨玄朔的著書。❷今依矢數道明之説，以曲直瀨玄朔爲本書作者。

曲直瀨玄朔（一五四九—一六三一），名正紹，號東井，幼名大力之助，襲「道三」之號，爲道三第二代，是日本江户時代前期著名醫家。玄朔出生於京都，係初代道三曲直瀨正盛（亦作正慶）外甥，幼年

❶〔日〕國書研究室．國書總目録：第一卷［M］．東京：岩波書店，一九七七：一四六．

❷〔日〕矢數道明．曲直瀨玄朔——二代目道三の業績［J］//大塚敬節，矢數道明編集．近世漢方医學書集成：第六册．東京：株式會社名著出版，一九八五：一八．

父母雙亡，由初代道三撫養成人，并在道三指導下學習醫學。三十三歲娶道三孫女爲妻，由此繼承曲直瀨一族家業。玄朔先後治愈正親町天皇及皇子（即後來的後陽成天皇）之疾，深得皇室器重，敕命繼承「道三」稱號，三十八歲時被任命爲延命院法印。曲直瀨玄朔常年爲正親町天皇、後陽成天皇、德川秀忠將軍等高層人士治病，因屢建奇功而譽滿天下。

曲直瀨家族至江户末期長期爲朝廷御醫。玄朔之子玄鑑（今大路親清）亦襲道三之名，又被後陽成天皇賜姓橘氏，封今大路家號，玄朔則被尊爲今大路一家之祖。曲直瀨玄朔門下弟子凡五百餘人，其中岡本玄治、野間玄琢、山脇玄心、井上玄徹、饗庭東庵等都是享有盛譽的醫家，紛紛得授法印、法眼等稱號，并在將軍、諸侯家出仕。

以初代道三爲鼻祖的醫學流派——後世方派，在日本醫學史上占據着舉足輕重的地位，除了得益於曲直瀨道三在醫界的悉心經營和巨大影響之外，與曲直瀨玄朔的勤勉能幹亦密不可分。由於曲直瀨道三生性淡泊，隱退較早，故曲直瀨家私塾啓迪院的教學管理和皇室宫中的診療事務很早就交由玄朔主持。可以説，玄朔對後世方派的傳承起到了承上啓下的關鍵作用。

曲直瀨玄朔校訂增補初代道三的著作，爲普及道三流醫學而竭盡全力，如補充完善了曲直瀨道三的《藥性能毒》《能毒圖解大成》《明用藥性能毒》《辨證配劑醫燈》《洛陽道三製劑記》等；玄朔自己的著作則有《醫學天正紀》《十五指南篇》《常山方》《醫方繩墨》《醫學拔萃》《醫方大成論釋談》《針灸略要》《針灸要論》《靈寶藥性能毒備考大成》《食性要略》《食性能毒》《日用食性》《日用諸疾宜禁集》《玄朔道三配劑録》《養生之總論》《玄朔養生集》《養生月覽拔萃》《延壽配劑記》《醫法明鑑》《家居醫録》等。

以曲直瀨正盛、曲直瀨玄朔爲代表的後世方派醫家，在繼承金元醫學的基礎上，將中國醫學本土化、簡約化，使醫學知識能爲普通民衆理解、接受和利用。二人均編撰了許多以普及推廣醫學知識爲目的、淺顯易懂、風格獨特的醫學著作，曲直瀨玄朔的《十五指南篇》正是這樣的一部代表之作。之所以題書命名爲「指南」，取「指南者，教訓之義。《碧岩(録)》曰：霧海之南針，夜渡之北斗。又周公旦造指南車與南越，使遂歸南越」。説明玄朔創作本書的目的當是爲學醫迷茫者指點迷津之用。

## 二　主要内容

《十五指南篇》全書三卷，主要由十五篇醫論組成。其中卷一含醫學、醫法、診切、立方、用藥五篇，卷二載用藥、辨劑、辨治、治療、治例五篇，卷三有治法、脾胃、戒懼、療養、攝養五篇。此書以醫學知識點的形式撰寫主要内容，針對學習或臨證中遇到的疑難問題進行解答，涵蓋的知識包括基礎理論、診斷、治法、藥物、方劑、臨床各科、養生等，詳實全面，堪稱一部醫學知識寶典。

在卷一之中，醫學指南篇一，闡述慕此術者必當勤問學、勤學次序、戒妄傳之例、宜廣通遍閲之説、《局方發揮》、丹溪與天民之相承正學等六個問題，體現了曲直瀨流派對學習態度的要求及對中國醫學的看法認識。醫法指南篇二，着重論述臟腑互用、諸證虚實、五臟主屬、早汗晚下等十二個中醫基礎理論中的重要問題，對於深入學習及臨證實踐都有很好的指導作用。診切指南篇三，論述十二個與望診及脉診相關的診斷問題。立方指南篇四，論述立法處方的原則及個别具體方劑的使用等八個問題。用藥指南篇五，論述藥物五味、藥性、引經等藥物基本知識及部分藥物具體應用等十五個問題。

卷二的用藥指南篇六，論述藥劑兩用辨例、毒藥攻劑過用久服之戒等七個問題，對於臨床用藥有很好的指導作用。辨劑指南篇七，論述辨證治氣异劑、治氣門、治血門、治熱門、治寒門，并列舉了臨床常用的各種藥物。辨治指南篇八，論述十八個臨床常見的病證辨治問題。治療指南篇九，論述病宜早治、治法隨宜而無定規之説等十五個治療原則及方法。治例指南篇十，論述風邪三中之捷辨、古今因證中風辨例、諸治不可失通塞之例等二十三個臨床各科疾病的治法治例。

卷三的治法指南篇十一，論述氣證、脚氣、痢等十三種臨床疾病的治法。脾胃指南篇十二，大量摘録李東垣《脾胃論》《蘭室秘藏》等著作中的内容，從脾虛、内傷、養中等十二個方面闡述脾胃特點及調治養生原則。戒慎指南篇十三，論述醫患診治中的禁忌及注意事項共十五個問題。療養指南篇十四，徵引《唐本草》《本草圖經》《本草衍義》等中醫古籍中的大量内容，論述養生、保養、用藥過程中應該注意的十一個問題。攝養指南篇十五，論述攝生養生的原則共十八個問題。

## 三　特色與價值

《十五指南篇》爲曲直瀨玄朔的代表著作之一，作爲日本後世方派承上啓下的中堅人物，玄朔一方面延續了其師道三尊奉李（東垣）朱（丹溪）醫學及察證辨治的學術特點，另一方面，爲了讓更多人接受後世方派的學術，又對道三的觀點經驗進行改良，擴大了後世方派的影響，鞏固了該流派在當時的日本社會以及整個漢方醫界的地位。

玄朔對道三學術的繼承突出表現在以下幾方面。

第一，本書的著述形式仍然采用道三習用的經疏格式，即在論述相關理論及臨床診療用藥時，用簡練的文字結合綫段、圖表等進行歸納，將複雜和抽象的醫學問題清晰直觀地呈現在讀者面前。例如，「辨治指南篇八」中的「痃癖積聚癥瘕三焦辨治」，作者采用經疏格式，對痞與痃癖、積與聚、癥與瘕三組病證進行對比分析，使其异同點一目瞭然。綜觀全書，幾乎每一個知識點的論述和歸納都用到了此種表現形式。

第二，主張察證辨治，反對《太平惠民和劑局方》（以下簡稱《局方》）。玄朔認爲，《局方》的局限性主要有兩個方面，一是不審察辨證，二是用藥太過温燥耗散。對此，玄朔在卷一「醫學指南篇一」中指出，《局方》與唐代許胤宗「醫者意也」的觀點相矛盾，《局方》「隨時取中之妙，寧無愧於醫乎」。玄朔認爲「今乃集前人已效之方，應今人無限之病，何异刻舟求劍、按圖索驥？」并以至寶丹、靈寶丹的不同應用爲例來説明察證辨治的重要性。此外，玄朔認爲《局方》過於温補，他在卷二「辨劑指南篇七」論述「辨證治氣异劑」時强調，《局方》治氣，「用香辛燥熱走散之藥，真氣耗散，陰血乾枯，而去死不遠矣」。在卷三「戒慎指南篇十三」中單列「偏執温補之戒」，指出「《局方》久行，《素問》不講」，這與古人治病有多種方法而「不專務於温補」是相悖的。玄朔的這些觀點，與道三在反對《局方》，主張察證辨治方面是一致的。

第三，尊崇金元四大家之學，尤崇丹溪。曲直瀨玄朔在卷一「醫學指南篇一・宜廣通遍閲之説」

中指出，「張、李、劉、朱四子之説，則猶《學》《庸》《語》《孟》六經之階梯，不可缺一者也。四子之書，初無優劣，但各發明一義耳」，比較客觀地評價了金元四大家的醫學地位和成就。在四大醫家之中，曲直瀨道三尤其推崇丹溪學説，而玄朔在此書中也多次引用丹溪及其傳人的觀點，并在卷一「醫學指南篇一」中單獨辟出「丹溪與天民之相承正學」一節，書中還多次引用丹溪學派虞摶《醫學正傳》及劉純《玉機微義》的觀點，體現了對道三學術的傳承以及後世方派崇奉李朱醫學的特點。

玄朔對道三學術的發揚主要表現在以下幾點。

第一，改變道三以李朱醫學爲核心的觀念，尊《黄帝内經》爲醫學之根本。玄朔在卷一「醫學指南篇一·宜廣通遍閲之説」一節指出，「醫之有《内經》，猶儒道之六經，無所不備」，并在「勤學次序」中主張應「廣閲《内經》，普窺《本草》」；後又摘録《玉機微義》對片面追求一家的後果評價，提倡以《黄帝内經》爲主導，「先仲景書者，以傷寒爲主，恐誤内傷作外感；先東垣書者，以胃氣爲主，恐誤外感爲内傷；先河間書者，以熱爲主，恐誤以寒爲熱；不若先主《内經》，則自然活潑潑地」，體現出玄朔改變了道三以李朱醫學爲核心的觀點，而主張宗《黄帝内經》爲醫學之根本，使醫學在日本的發展更接近中國醫學的根本原貌。此外，玄朔在書中還大量引用《黄帝内經》的理論來闡釋相關問題。如卷一「醫法指南篇二·積熱沉寒之治法」一節，玄朔就引用《黄帝内經》「寒之而熱者取之陰，熱之而寒者取之陽」的方法，同時援引王冰對這一問題的注釋「益火之源以消陰翳，壯水之主以制陽光」，對寒熱、陰陽、水火問題進行了透徹的闡述。可見，玄朔極爲尊奉《黄帝内經》，對《黄帝内經》原文内容已經諳熟於心并能靈活運用。

第二，道三提倡靈活的察證辨治，而玄朔更重視基本處方基礎上的靈活加減。曲直瀨道三對醫學的巨大貢獻在於他敢於突破《局方》的桎梏，確立系統的察證辨治理論體系。但是，由於察證辨治過於靈活，許多臨床經驗不足的醫生很難掌握運用。爲了使道三學術的傳承不致中斷，曲直瀨玄朔主張在辨證基礎上以基本處方靈活加減。例如，卷一「立方指南篇四・立方本意之例」，玄朔列出「四君治氣虛，四物治血虛，春倍芎，夏倍芍，秋倍地，冬倍歸」，指出氣虛以四君子湯爲基本處方，血虛以四物湯爲基本處方，但要根據不同季節改變藥物用量。這種方法，便於學習者識記和運用。再如，卷三「治法指南篇十一・脚氣治例」，將治療脚氣病的基礎方及原理羅列出來，并在此基礎上靈活加減，「大便秘加桃仁，小便澀倍牛膝，肥人必加痰藥」，便於醫者掌握。道三倡導的靈活察證辨治，至玄朔以後逐漸演變爲基本處方與加減方的形式，這并不是玄朔對道三的全面否定，而恰恰是經過實踐檢驗後對道三學術經驗的揚弃。如果没有道三純粹的察證辨治要求，很難培養靈活加減的辨證思維；而没有道三徹底拋弃《局方》的臨床嘗試，就不會有後來糅合《局方》與察證辨治二者之長的以基本處方靈活加減的模式。正是由於玄朔對道三學術的繼承與發展，才使後世方派爲更多人接受運用，在幾百年間綿延不息。

此外，本書非常强調臨床實用，重視便捷的針灸療法。如卷一「醫法指南篇二」對「早汗晚下之説」的闡釋，提出「汗不厭早，下不厭晚」的觀點，言簡意賅，却對臨床具有很好的指導作用。而「病後攝養」則用寥寥數語説明了大病之後調養的方法，「大病退之後，先服甘温以扶元氣，而後服滋血、生津、潤燥之藥，預防二便秘澀之證」。其説簡潔實用，便於學習和運用。由於日本藥物資源相對匱乏，玄朔非常重視方便快捷的針灸療法，因此在本書中列述針灸相關的問題。例如，在卷一「醫法指南篇二・針灸補瀉之明説」中，玄朔就提出并解釋了「灸法亦有補瀉之功乎」這一問題，提出「虚者灸之以助元陽，實者灸之隨火氣而散。寒者灸之使其氣之後温，熱者灸之引鬱熱之氣外發」「針刺雖有補瀉之法，予恐有瀉而無補」，爲讀者闡明了針灸補瀉的作用和原理。而在卷三「戒慎指南篇十三」，玄朔揭示了「針灸不應之解説」「灸藥戒慎虚熱得效之例」等知識，并附有詳細的病例。此外，玄朔亦在臨床中經常施灸治病。慶長三年（一五九八），後陽成天皇鬱病發作時，他曾勸諫天皇接受灸法治療，但因宮廷中無此先例而未獲應允。至慶長九年（一六〇四），後陽成天皇臍上右側癰疽發作時，天皇發現了玄朔之前提出施灸治療的請示并同意接受灸療，玄朔因此得爲天皇施灸取效。

《十五指南篇》還有一個特色，即：除正文之外，書中大量小字旁注及眉批，蘊含了豐富的信息。在旁注和眉批處添加的注釋，主要用於字詞訓釋、醫理闡發。其字詞訓釋，如卷一「醫法指南篇二」，在論述「積熱沉寒之治法溯洄」時，眉批處用墨書對「泝洄」一詞進行解釋：「《韵府》曰：泝洄，逆流而上。泝，蘇故切，逆流而上，或作溯。《玉篇》曰：洄，胡雷切，逆流曰泝洄。」通過徵引古漢語辭書字典，訓釋疑難字詞的含義，便於日本醫者閲讀理解。關於醫理闡發，如卷上「立方指南篇四」在論述「救補辨例」時云：「補中益氣湯方後曰：加黄柏以救腎水，加地黄以補腎水。」初學者對此難以理解，故作者在末尾用朱書注釋云：「水中邪火，黄柏救之；真水耗減，地黄補之。」如此闡釋，使學習之人可以清晰領悟黄柏、地黄救腎水與補腎水的區別。再如卷一「用藥指南篇五」，在論述「用藥專土産弁時月之説」時，爲了便於理解，玄朔在「凡藥，昆蟲草木産之有地，根葉花實采之有時」旁，用朱書批注云：「凡諸根二八月，葉生長，花盛，實熟時。《本草》猶具。」分別指出根、葉、花、實采摘的適宜時機，并説明這些原則在本草著作中論述更爲完備，可以參考。在「失其地則性味少异，失其時則氣味不全」之後，用墨筆注釋了何爲「失其時則氣味不全」，「譬摘茶，三日早晏，其氣味大异也」，使學習之人能够迅速領會要旨。此外，對於引用文獻中本來的錯誤，也以注釋的方式正誤糾錯。如卷上「用藥指南篇五」在論述「幽微斟酌」時，引用王叔和的原文「治上必連其下，治下必及其下」，後一句的「下」當爲「上」，於是在「及其下」的「下」字旁，用朱筆糾正爲「上」。同時，爲了方便日本醫者閱讀此書，在部分漢文詞語旁邊，標注了日文發音和語序。因此，學醫之人在閱讀全書時，結合以上眉批和旁注，能够更好地理解原文，從中獲益。

總之，本書在闡述曲直瀨道三學術特點的同時，亦處處反映出玄朔的醫學主張，體現了玄朔對道三醫學的傳承與發揚，亦反映出日本醫家對中國醫學的接受與發揮。同時，由於書中凝聚了道三和玄朔兩位醫學大家畢生的心血、成果與經驗，對臨證和教學都具有重要的參考價值。

## 四　版本情況

《十五指南篇》具體成書年代不詳，現有六種鈔本和一種古活字本傳世。其中，六種鈔本分別藏於宫内廳書陵部（作者手稿）、九州大學圖書館、京都大學圖書館富士川文庫、東京大學圖書館鶚軒文庫、西尾市立圖書館岩瀨文庫、杏雨書屋；慶長間（一五九六——一六一五）古活字本，藏於九州大學圖書館、京都大學圖書館富士川文庫、東京大學圖書館鶚軒文庫、市立刈谷圖書館、御茶之水圖書館成

簣堂文庫、杏雨書屋、乾乾齋文庫、大東急記念文庫、高木文庫。❶

本次影印采用的底本，爲日本國立國會圖書館所藏慶長間（一五九六—一六一五）古活字本。此本藏書號「WA7—50」。三卷一册。四眼裝幀。函套題簽有書名及卷次。封皮題簽書名脱落。無扉葉，無序、跋。書首葉爲目録。全書四周雙邊，無界格欄綫。正文每半葉十二行，行十七字。版心黑口，上下雙魚尾。書口中上部刻「醫工指南篇」書名，中下部鎸卷次。文中有大量小字旁注和眉批，朱墨分書，且以朱筆雙綫標注書名，用朱筆單綫標注人名。書中個別葉面有少量蟲蛀及水污痕迹。

綜上所述，《十五指南篇》全書分十五篇，共論述了一百九十個醫學問題。書中廣泛援引中國歷代中醫經典醫籍進行闡述，通過深入淺出、簡潔直觀的方式，將曲直瀨玄朔的學識經驗娓娓道來，問題的摭選也反映其高超的臨證水平，使得這些問題非常切合臨床實用，便於醫者在臨證中遇到困難時隨時檢閲，堪稱學醫之人必備的臨證寶典。而本書作者曲直瀨玄朔，則以其精湛的醫術和豐厚的學養延續了曲直瀨流醫門的榮光。

侯如艷　蕭永芝

---

❶〔日〕國書研究室.國書總目録：第一卷[M].東京：岩波書店，一九七七：一四六.

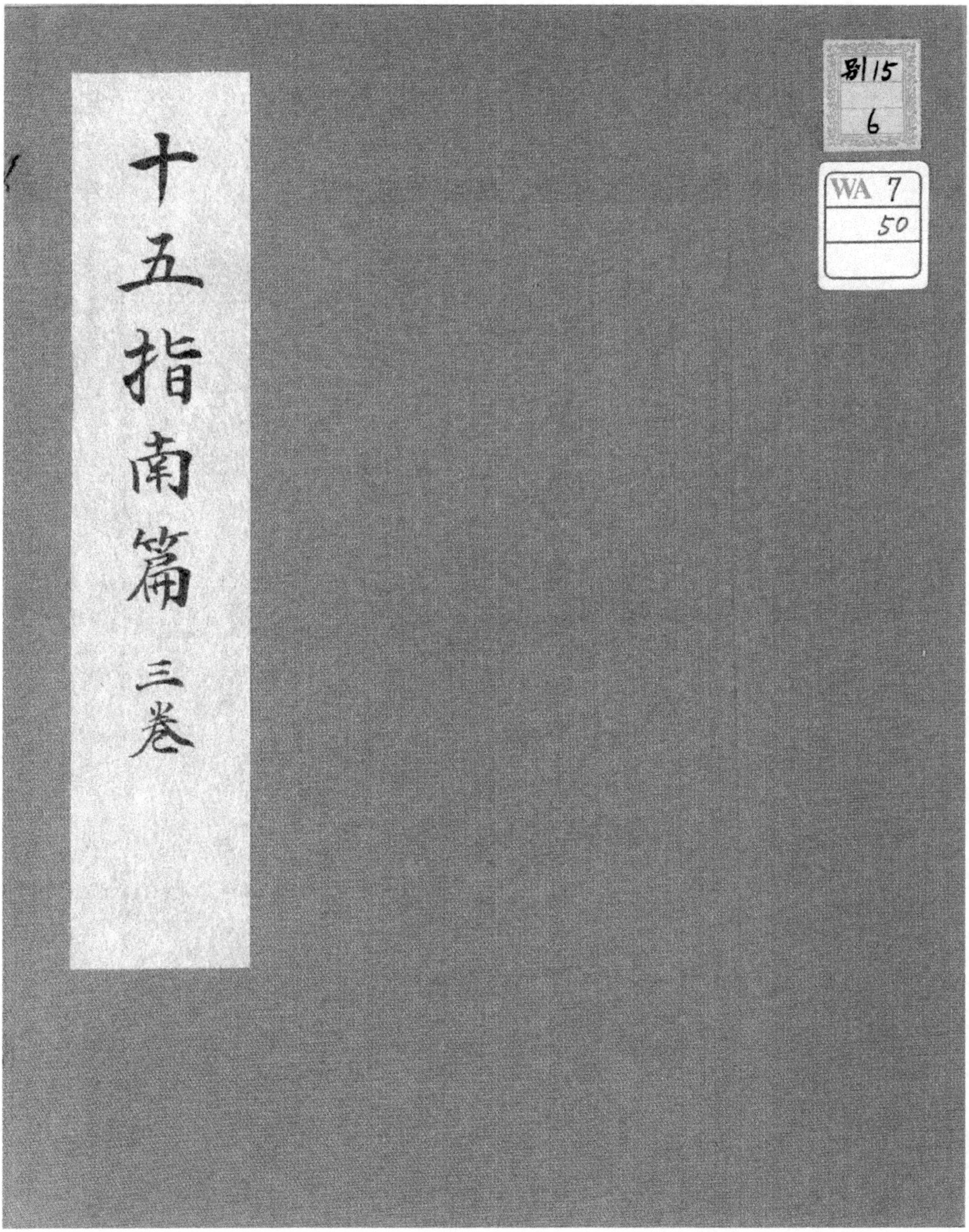
十五指南篇 三卷
別15
6
WA 7
50

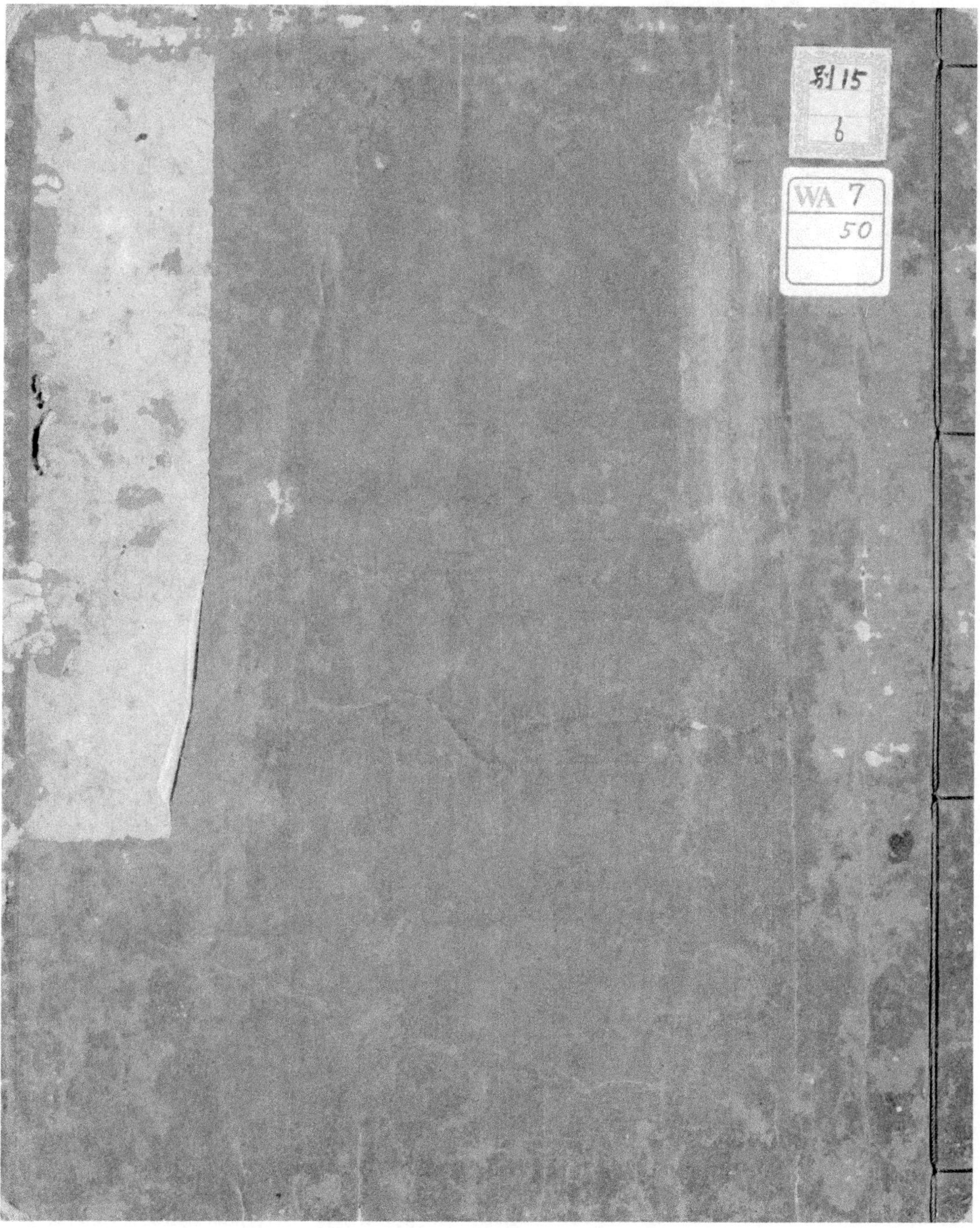
别15
6
WA 7
50

國立圖書館
昭 23.3.17 和
購入

# 十五指南篇目録

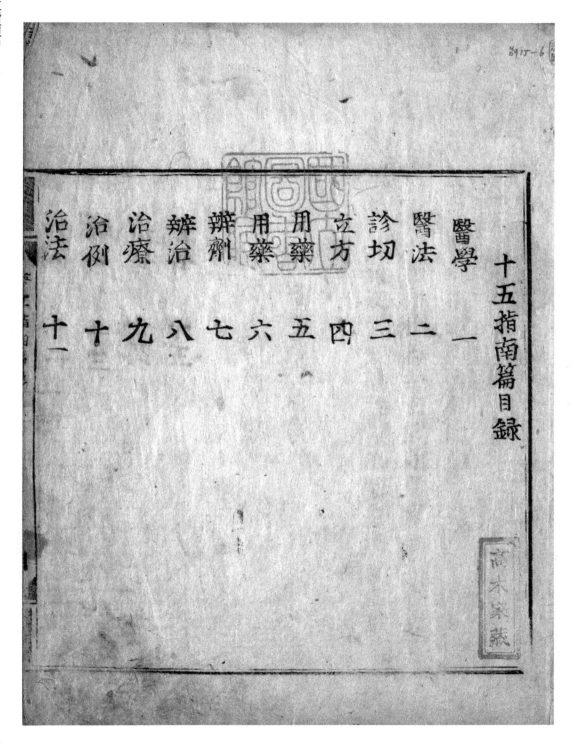

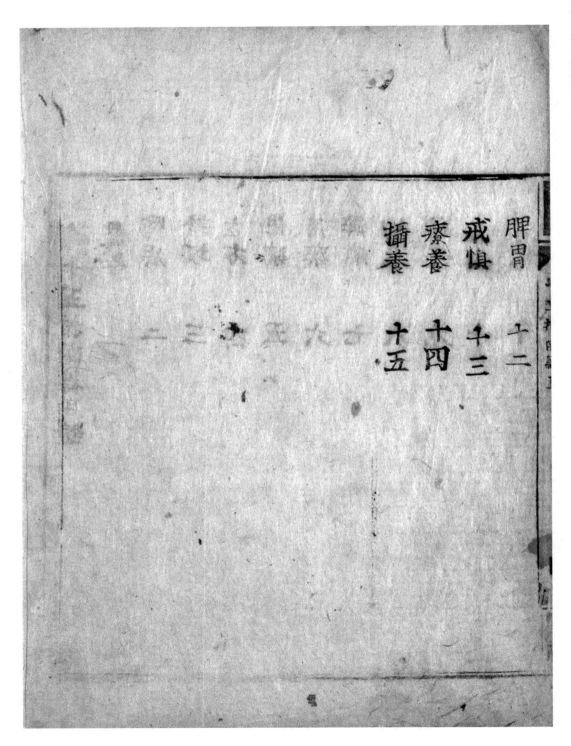

# 醫學指南篇一

慕此術者必當勤問學

雖病治例曰每日勤讀醫書手不釋卷倘有良友常宜請益蓋學海無盡此乃務本之計

論語曰子曰吾嘗終日不食終夜不寢以思無益不如学也

一日之計在於寅

一生之計在於勤 三祖師云怠是衆生病勤是衆生藥也

一勤學深序 編執一家則其學不能大全也

廣閱内經普窺本草

内經黄帝岐伯問答 本草神農

診切主王氏脉經 王叔和脉經十巻有七表八裏九道之至 後学撰注而生脉訣誤甚多

剛方宗張仲景

用藥尊東垣尚從潔古

朱氏丹溪彥脩辨治雜病不執古方審察脉証而對証配剤即是内經聖旨之治法

劉河間深明内經主客之病証述乃病式凡字四賢之解説詳弁治諸病佳矣

活潑之地者詳解仏意祖意而已至不二之旨如自由三昧之謂

辨治諸証師丹溪尚從天民

外感法仲景

内傷法東垣

熱病法河間

雜病法丹溪

○玉機熱論曰

先仲景書者以傷寒爲主恐誤内傷作外感

先東垣書者以胃氣爲主恐誤外感爲内傷

先河間書者以熱爲主恐誤以寒爲熱不若先主内經則自然活潑潑地

正傳恒德老人虞摶天民作

三部九候論ハ素問ノ編名也
三部ハ寸関尺九候ハ浮中沈
九鍼ハ名詳于鍼灸經
異朝諸侯會盟ノ時誓言ヲ約スル時牛ヲ殺
歃其血曽必不可変約也
天ハ陰陽人ハ男女天ハ畫夜人ハ
血氣古今元変異不変真
不異如也即異真如異物也
氣ハ者天地真異空人身ノ体性
神明者天地自然ノ妙理佛祖不識也
異室異蘭ハ室帝ノ書府
齋者潔心志戒預メ慮患難而
悪也
傷寒
雜病治例二冊刊異着述也

○正傳曰今之醫者不識機變不偏於此則偏於彼也

一戒妄傳之例

○王部九候論帝曰余聞九鍼於夫子衆多博大願聞要道以屬子孫傳之後世著之骨髓藏之肝肺歃血而受不敢妄泄

氣交變論曰帝曰善言天者必應於人善言古者必驗於今善言氣者必彰於物善言化言變者通神明之理非夫子孰能言至道藏之靈室毎旦讀之非齋戒不敢發

靈蘭室黄帝之書府也洗心曰齋防患曰戒深敬故也

○雜病治例曰諄諄求究藏爲家寶切不可示

醫閣是仕術救病〇道也

未名利不慈不寿〇士必當為入傳諸〇不道不義之士

六經五經加周礼〇

世已矣〇

和剤局方執治病〇方〇〇
不明〇弁証〇區別〇〇著發揮
俄〇卅〇閣〇〇著發揮
〇一郡〇〇〇〇是當流
〇〇弁証配劍〇以明景
醫立意用聖法〇規範

一宜廣通遍閣之説

雜著

醫之有内經猶儒道之六經無所不備張李

劉朱四子之説則猶學庸語孟為六經之階

梯不可缺一者也四子之書初無優劣但各

發明一義耳

一局方發揮　　朱震脩撰

〇局方之為書據証捡方即方用藥不必求醫

不必修製鬻見成九散病痛便可安疼人

民之意可謂至矣

自宋迄今

宜府守之以〇為法
醫門傳之以〇為業
病者特之以立命
世〇人習之以成俗也

校粹

四知者神聖工巧望聞問切
醫意学得此経本及古
聖賢之醫法而ナ後醫
意ナリ非謂不学者妄意者矣
和剤之書立作古賢遺候
病草皆在焉為的深臨杭應
変之醫法劇也

然予竊有疑何者古人以四知言醫又曰醫者意也其傳授雖的造詣雖深臨機應變如對敵之將操舟之工自非盡君子隨時取中之妙寧無愧於醫乎

○今乃集前人已效之方應今人無限之病何異刻舟求劍按圖索驥

○今觀各方別無病源議論止於各方條述證候繼以藥石之分兩修製煎服之法度而又勉其多服常服久服

○至寶丹靈寶丹曰法

中風不語
中風語澁
失音不語
舌強不語

越法度而血出口鼻也
悍ハ浮盛之氣也

夫不語語澁之因不一有

神昏不語心神恍惚
口噤不語風邪在筋
舌縱語澁血不榮筋痒
舌麻語澁氣虚痰壅

又曰治口鼻出血

夫口鼻出血陽盛陰虚有升無降血隨氣越出上竅法當補陰抑陽豈可以輕揚飛竄之腦麝佐之以燥悍之金石乎

又曰治皮膚燥痒

經曰諸痒為虚血不榮肌腠所以痒也當與滋補以養陰血血和肌潤痒自不作

十七兩金石

方者体也法者用也体用不失是謂之工

一

判然トハ者黒白分明各別也

豈
- 五兩腦麝香桂
- 一兩當歸
- 一升童便
- 一升地黃汁

以北劑啫槁之血果能和而生乎果能潤澤肌肉之乾瘦乎

潤體圓等卅餘方背曰治
- 諸風
- 一切風
- 一癱風
- 男子卅六風

其爲主治甚浩博且寒熱虚實判然適別一方通治果合經意乎果能去病乎

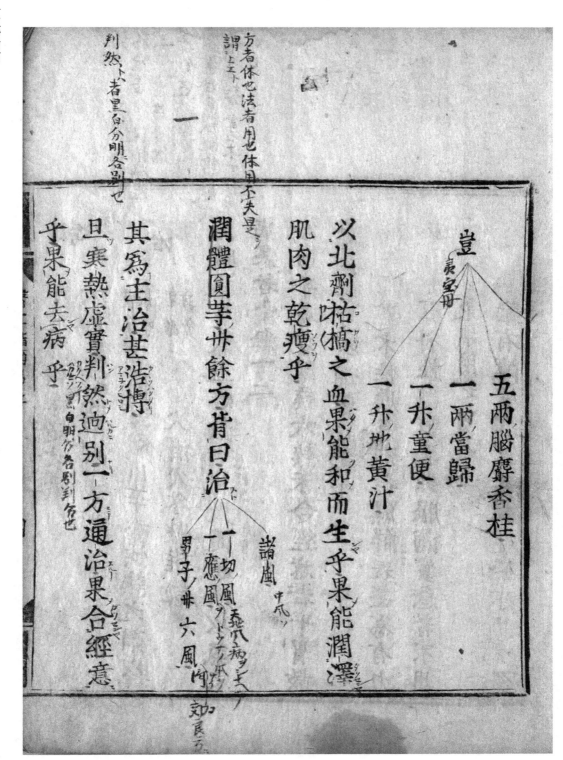

諸氣ニハ有鬱結有耗散
膈噎ハ上中下ニ津液燥涸ス
呑酸ハ胃ノ實滿
痰飲ハ逆氣相火炎上
怒喜思憂恐激發其則必
邪火隨起也金石木竹摩擦
則必火生矣

寧不犯誅伐無過之戒乎

不助病邪而伐根本乎

治 諸氣 膈噎 吞酸 痰飲 何嘗例用辛香燥熱之劑以

火濟火咎將誰執

五臟各有火五志激之其火隨起所以氣之

病寒者十無一二

或曰子所方用藥太熱未合經意若平胃散

之温和可以補養胃氣乎 予曰

蒼朮性燥氣烈行濕解表甚爲有力

厚朴性温散氣非脹滿實急者不用

兼氣用之可見

雖有陳皮甘草甘緩甘辛亦是決裂

耗散劑

實無補土之和（脾胃也）

經曰土氣太過曰敦阜亦能爲病況胃爲水穀之海多氣多血故用之以瀉有餘使之平爾非補之謂其可常服乎

或曰婦人一門經候胎產帶下用藥無非温煖於理頗通乎予曰婦人以血爲主血屬陰易於虧欠餘方是非姑置之

若神仙聚寶丹則治血海虛寒虛熱盜汗理宜補養琥珀之燥麝香之散可以用乎面色萎黃肢體浮腫理宜導濕乳香沒藥固可活血可以用乎胎前產後虛實不同逐敗養新攻補難並積塊堅癥赤白崩漏

肝心脾肺腎五臟ヽ林用
風熱濕燥寒各異之非相生相剋違順能言
醫者不能明論ノ一

考亭ハ者三綱五常ノ儒学ニ不混之謂

源本源委ハ流派也
醫学ノ系図也

偏門トハ者偏執学之家ノ而
廣ク不能通達于諸家トハ
詳論ニ矣

丹溪先生
天民ノ曾叔祖虞誠齋同也
同郷天民ガ祖父詳傳丹溪ヲ
誠齋ハ醫学ヲ天民ガ祖父
相兼也是即自来ノ系図
予才疎質鈍天民謙也
親炙ハ化者自分希朝夕ニ謂

寘於彼者必姤於此欲以一方通治乎服者無不被禍自非五藏能言醫者終不知覺

丹溪與天民之相兼正學

正傳曰吾邑丹溪朱彦脩先生初遊許文懿公之門得考亭之餘緒緣母病刻志於醫求師於武林羅大無而得劉張李三家之秘故其學有源委術造精微所著格致餘論局方發揮等皆折衷前哲足以救偏門之弊偉然百世之宗師也發前人所未發補前人所未備耳以醫道大鳴于當世正傳或問曰予曾叔祖誠齋幸與丹溪生同世居同鄉於是獲沾親炙之化亦以其術鳴世故予祖父相兼

祖父者高曾祖祢也子孫曾玄云九族之内也
私淑者竊善也丹溪義
格致餘論撰等書正偏
門之誤之遺風天民心中
竊之善之流也
於素問難經之深意无不切磋琢磨也
考亭府晦菴徒居武陽之
盲山溪之勝

家傳之學有所自來兮惟愧才疎質鈍爲慊
耳
同亭曰愚兼祖父之家學私淑丹溪之遺風
其於素難靡不若志鑽研

手足之三陽經六腑也陽經皆在外而主氣
行陽二十五度交經而行表之使之用在下
手足三陰之經五臟也陰經皆
在内而主血行陰二十五度沉而
行裏表之七竅之用在上
天之陽氣
地之陰濕　交合而升降如環
元氣故海水之增明減日月
須行雖有寒暑晦明終無窮上

上盛ハ痰涎風火ノ者陽邪也
留滞也上升也
下虚ハ血与氣ト者正気虚也
津液流行之虚也

# ○醫法指南篇二

一　臟腑体用之説

難知曰
- 六腑表也氣也其體在上其用在下
- 五臟裏也血也其體在下其用在上

經曰
- 地氣上為雲
- 天氣下為雨

又曰
- 雨出地氣
- 雲出天氣

此之謂歟

脾胃論曰
- 六腑瀉而不藏
- 五臟藏精氣而不瀉

一　諸證虛實明解　玉機三十五

眩暈皆上盛下虛所致　上盛痰涎風火也下虛血與氣也

一万物悉有体用。故五行亦有体用、即是之。五臓ハ体用虚実ヲ明ス也
木ハ体風、用肝。体掉眩、用筋
火ハ体熱、用心。体瘡痛、用血
土ハ体湿、用脾。体腫満、用肉
金ハ体燥、用肺。体憤鬱、用皮
水ハ体寒、用腎。体収引、用骨

晝ハ陽而動
夜ハ陰而静

丹溪心法、羌活愈風湯[illegible]
二丹丸ハ助陽神而益正気、行動。故早朝空心用之。四白丹ハ[illegible]而静也。陰液ノ躁煩。故臨卧服ス[illegible]

正傳曰大抵
- 實者邪氣之盛實
- 虛者正氣之虛憊

一 五臟主屬之病証　心法

經曰
- 諸風掉眩皆屬肝木
- 諸痛痒瘡皆屬心火
- 諸濕腫滿皆屬脾土
- 諸氣膹鬱皆屬肺金
- 諸寒收引皆屬腎水

一 晝夜動靜之辨劑

心法愈風湯方後曰

空心／臨卧 一服呑下
- 二丹丸　安神定志和血。是動以安神也
- 四白丹

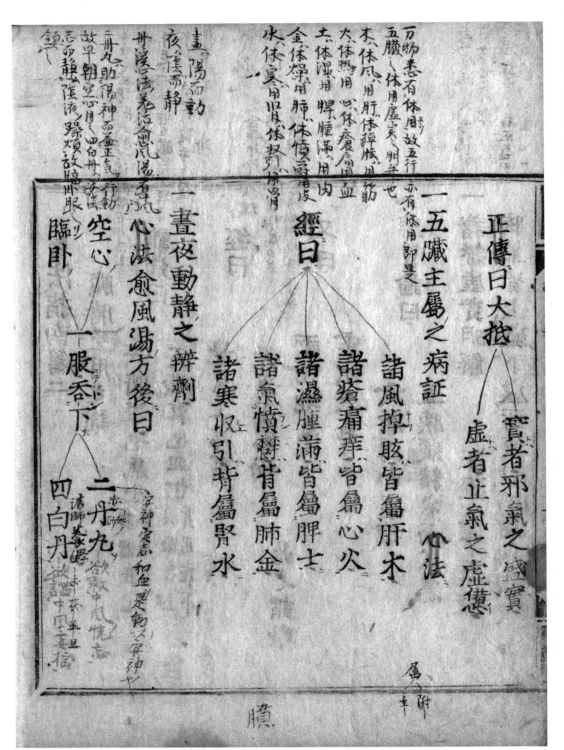

神魂ハ陽ノ神主動
精魄ハ陰ノ神主靜

行陽之時之
行陰之時之及則得若于矣

中焦ハ脾胃納受水穀敢飢飽
脾ハ運化ス穀氣主四肢
五行ノ氣並具在中央而每四時ノ季土十八日旺
主乙化ス七十二日也謂脾ノ
主四肢也
三陰ハ滋潤ス榮血防陽邪
三陽ハ温行ス衛氣護膚腠

動以安神
靜以清肺

一早汗晩下之説　難知曰

汗不厭早　日午以前爲陽之分當發其汗
　　　　　午後陰之分不當發汗

下不厭晩　午後爲陰之分宜下之
　　　　　巳前爲陽之分不當下

此支難知也

一四肢冷熱之源理

纂要曰人手足三陰三陽各具之

三陰
三陽　虚則手足常　煩熱
　　　　　　　　　寒冷

一心法曰陰陽衰於下則　熱厥
　　　　　　　　　　　寒厥

一血汗一源之説

衛生宝鑑有二十四巻
攝起居動静之謹節也
養飲食飢飽
滋血以益血ニ剤滋深血
生津以潤液ヲ創生臓津
潤燥以潤燥菜食法腐腸乱
韻府曰ーー逆流而上
泝藕故切逆流而上或作遡
玉篇曰洄胡雷切逆流曰泝洄

實鑑曰血之與汗異名而同類

奪汗者無血
奪血者無汗

雜著醫論曰

一病後攝養

大病退之後先服其溫以扶元氣而後

服滋血生津潤燥之藥須防二便秘澁之證云云

積熱沉寒之治法溯洄

經曰寒之而熱者取之陰熱之而寒者取之陽所謂求其屬也

王太僕註曰益火之原以消陰翳壯水之主以制陽光

注
瘧論曰熇々盛熱也
渾々無端緒也
漉々汗大出也
労役甚而脾氣乏
飢極而胃氣歇
大渇津液耗尽
暴怒驚駭氣乱
強食之新飽之清濁不分陰陽不降穀氣

畜猶主謂心腎也非謂肝肺

一鍼灸補瀉之明説

正傳或問鍼法有補瀉迎隨之理固可以平虚實之證灸法亦有補瀉之功乎

曰
虚者灸之以助元陽
實者灸之邪隨火氣而散
寒者灸之使其氣之後温
熱者灸之引欝熱之氣外發

一鍼刺雖有補瀉之法予恐有瀉而無補

經曰
無刺熇熇之熱 其身如燒
無刺渾渾之脉 其脉渾濁又雜乱
無刺漉漉之汗 其汗如漏流
無刺大勞大飢大渴大驚新飽之人
陰陽皆不足不可刺

淺学之徒或恃針補之聖說宜謹

白府曰
上壽百歲　中壽八十歲
下壽六十歲

保謹言行也養飲食慎也

刺之
老者絕滅　無復回之元氣竭也
壯者不復　雖不絕減而不能復回

若此等語皆有瀉無補之謂也

正傳或問

一緣父母元氣盛衰有三壽之異

父母元氣
兩盛者得上中之壽
偏盛者得中下之壽
兩衰者能保養得下壽不然多夭折

或問推命者皆以所生日時星辰推其生死安危無不應驗子以父母元氣為天命恐非至當曰天人之理衰盛無不脗合聖人書八

子命也

老子曰我命在我也非天命矣

神明者佛祖不測之玄術 權者以譬喩之方便 說眞實而使得正中之

卦而成易書以卜筮毫髮無差雖熟聖賢諄諄教誨必使盡人事以副天意則凶者化吉若得未嘗令人委之於天命也○傳曰修身以俟命而已○是故醫者可以通神明而權造化能使夭者壽而壽者仙醫道其可廢乎

一乳母宜擇　格致餘論曰

乳母
- 稟受之厚薄
- 情性之緩急
- 骨相之堅脆
- 德行之善惡

見能速肖

体之氣怯弱強盛

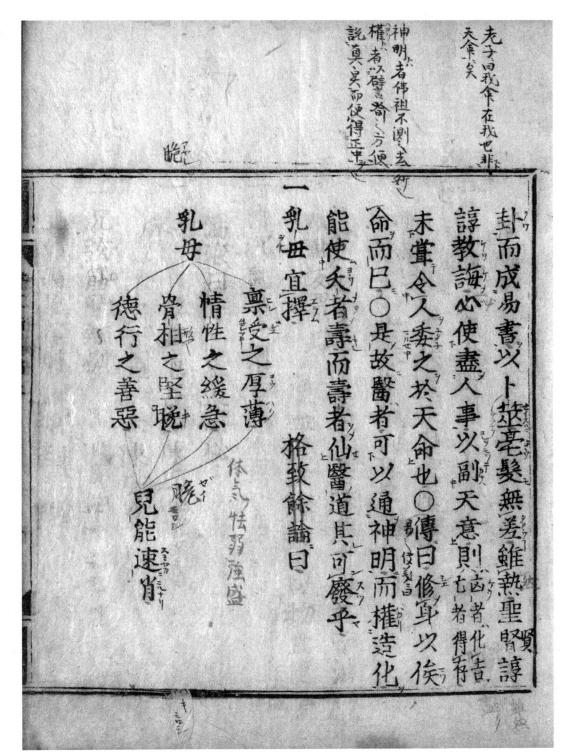

孰行之善否　見證正治

乳哺　當知之緊護　[illegible]

情性之疾急　[illegible]

真元之厚薄　[illegible]

一乳哺宜擇　好疾病調曰

師說夫者謂而醫未仙醫須其方明令

命而曰○是故醫者有以[illegible]明而擇宜從

未生命人身之於天命也○[illegible]以後

護事[illegible]心夜護入事以節天者則[illegible]

其而成為書以[illegible]

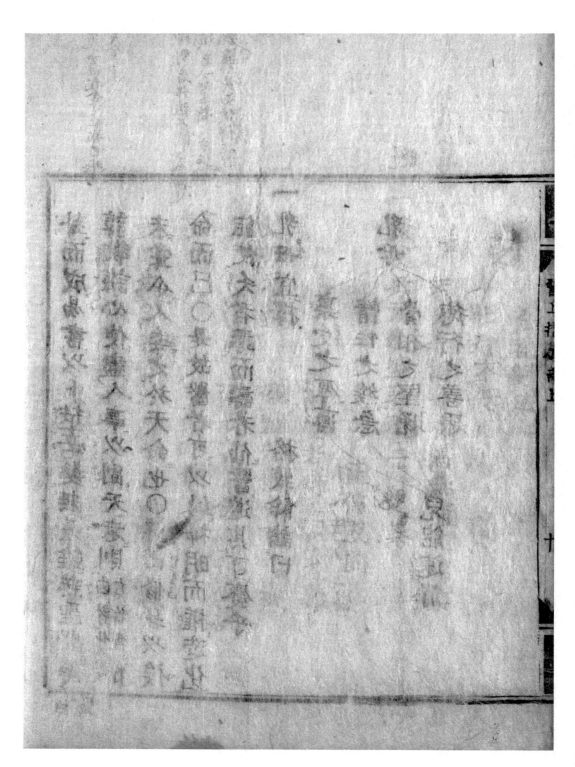

# 診切指南篇三

一 左右氣血辨例

小學曰 左脉虛小而驚悸血 / 右脉虛小而耳聾氣 虛也

一 心法反胃曰 氣虛右脉無力四君子湯 / 血虛左脉無力四物童便

一 浮沉氣血弁劑

湯液曰年高虛人燥秘

脉 浮在氣杏仁陳皮 / 沉在血桃仁陳皮

一 沉弦筋骨辨例 附腫痛濕火之辨例

正傳痛風曰脉 沉主骨腎 / 弦主筋肝

一説諸痛屬于火腫屬于濕

唯宜以脉弁之 遲數分寒熱 浮沈別風濕

心ハ南上部 腎ハ北下部 肝ハ東左辺 肺ハ西右辺 脾ハ中州

万物ノ養云月地ノ陰気為 天ノ陽乾ハ資始 地ノ陰坤ハ資生スル也

又曰

痛屬火 腫屬濕 ── 忌禽獸魚麪

一滑濇燥潤辨劑 心法痛風

肢節腫痛脉

滑者宜燥濕 ── 蒼朮南星枳殼防己之類

濇數瘀血 ── 桃仁紅花芎歸之類 大黄之類潤之

一弦滑辨因 丹溪腹痛門曰

腹痛有剖分臟位有高下宜分治

脉

弦者食 聚物

滑者痰 滯氣

一色脉相生順逆辨例 此事難知曰

夫脉地也色天也

地生天則順癒速也

天生地則逆愈遲也

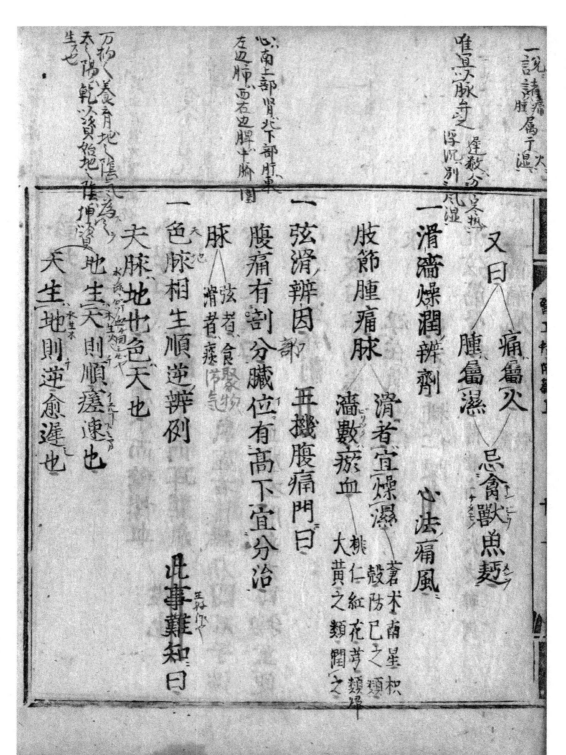

外科精義十二書卷軸

脉ハ往来氣之出入与形之盛衰相得ハ吉 参伍ト者内与外氣息参差彭伍之謂也

從四時者春微弦夏微洪秋微毛冬微沉謂也 所謂四時非脉有胃氣 玉機真藏論篇

形氣相得謂之可治 注氣盛氣 虚形虚是之相得也

色沢以浮謂之易已 注氣 色浮潤血氣相營故易已

脉從四時謂之可治 注春弦夏鉤秋浮冬營謂順四時從順也

脉弱以滑是有胃氣命曰易治

形氣相失謂之難治 注形盛氣虚氣盛形虚皆相失也

# 一 形氣色脉辯察　外科精義

經曰
形壯脉細少氣不足以息者危（呼吸不足而報息弱）
形瘦脉大胷中多氣者斃

又曰
形氣相得者生
三伍不調者病（三謂參考 伍謂類伍）

又曰
形氣相得者生
色澤以浮者病易已
脉從四時者可治
脉弱以滑者是有胃氣
此皆可治

形氣相失
色夭不澤
脉逆四時
皆不可治

色夭不澤謂之難已
注夭謂不明而惡不必謂枯燥也
脉實以堅謂之益甚　注脉實以堅是
邪氣盛故益甚也
脉逆四時為不可治

脉實益堅
邪氣有餘

經曰必察四難
病熱脉靜
泄而脉大
脱血脉實
汗後脉躁
此皆難治

脉經曰
陽邪來見浮洪
陰邪來見微細
水穀邪來見實堅
寒癖邪來見弦小

一膈噎氣血不足診察　正傳曰
脉
濇而小血不足
大而弱氣不足

診人迎而候外感之有無
切氣口而察內傷之有無
診神門而知男女之元氣神志虛實

万物之元種蕃則必生二葉即是乾坤生之妙象人身兩尺之脈象亦如此是水火之兩根也

一 人迎氣口神門之所在　正傳或問

人迎在病人左手關前寸後之位（診外邪之有無）

氣口在病人右手關前寸後之位（候內傷之真偽）

兩手神門在病人兩手關後尺前之位（診人命元氣之盛衰）

今人多不識此人迎氣口

或指之兩寸 指之兩關 皆非也

王叔和語

一 腎兩根解説　正傳或問

腎爲一臟配五行而言者屬之水矣

以其兩腎之形有二象而言者以左

右分陰陽爲五臟之根元（男子以陽爲根右腎命門也火　女子以陰爲根左腎命門也水）

以左爲陰陰爲水水爲血

右爲陽陽爲火火爲氣

常者木火土金水五行肝心脾肺腎之精也君火腎之真水也
變者父母之交會即是相火也
動變也譬之在下焦火也
尺部在主之宰相火也
脈訣刊誤傳則二十四字不能綜其
約則浮沉遲數總括紀綱故知
浮爲風爲虚沉爲濕爲實
遲爲冷數爲熱
東垣曰浮而无力虚 沉而无力氣虚 言沉而无力氣虚 浮而无力血虚

於是
- 左腎陰水生肝木肝木生心火
- 右腎陽火生脾土脾土生肺金

考明堂命門一穴在脊中行第十四椎下陷中兩腎之間固爲
- 真元之根本
- 性命之所關

雖爲水臟而實有相火寓乎其中

夫
- 水者常也
- 火者變也

醫林正宗曰

一四脈爲祖

浮而
- 有力風
- 無力虚

沉而
- 有力積
- 無力氣

遲而
- 有力痛
- 無力冷

數而
- 有力熱
- 無力瘡

一五脈診察

左頰ハ
額上ハ
鼻ハ
右頰ハ
頤ハ
面内之
東
南
中
西
北
也即
肝
心
脾
肺
腎

醫家大法曰

津
液
氣
血
精

脫者

大汗
骨不利
目昧
色夭
耳聾

凡此五者其脉俱虛此其候也

一面上五行、俗法曰

左頰者肝部合左關肝膽

額者心部合左寸心小腸

鼻者脾部合右關脾胃

右頰肺部合右寸肺大腸

頤者腎部合左尺腎膀胱

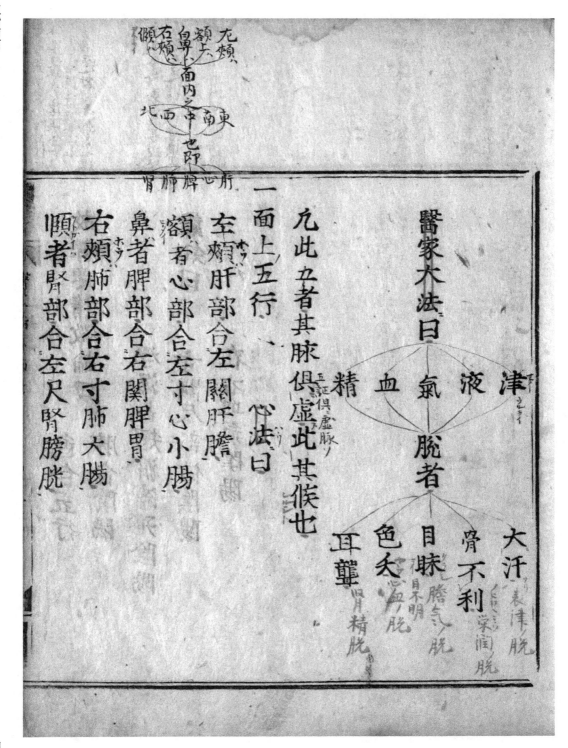

色ハ青黄赤白黒ハ即五行也
脉ハ左右ハ血氣ノ陰陽人迎氣口ハ
内外ノ陰陽浮沉ハ表裏ノ
陰陽遅数ハ寒熱ノ陰陽
浮沉ハ挙按ノ表裏長短ハ堅ナノ
有餘不足滑濇ハ栄液ノ潤

故脉要精微論曰
- 色合五行
- 脉合陰陽

難知曰
- 浮沉長短滑濇形陰陽
- 寸關尺部位陰陽
- 在右血氣陰陽

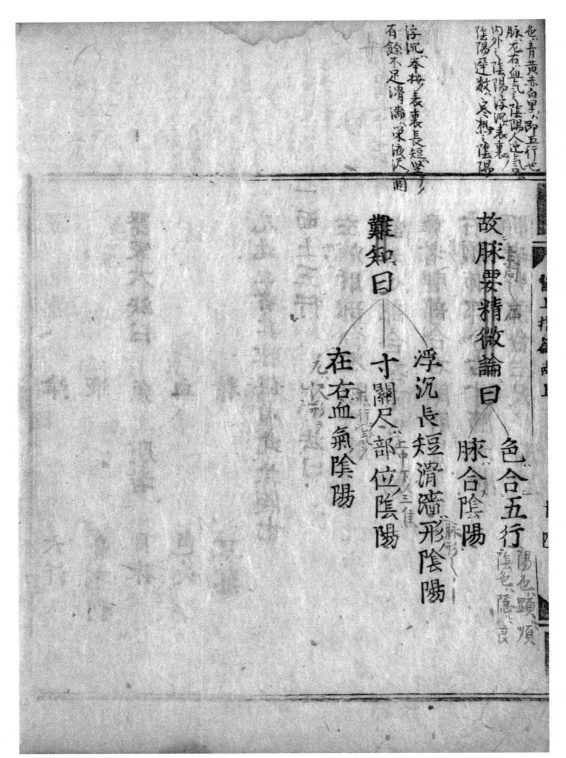

後人對証而配方謂之方　内經論病源而議其治謂之法　心法方者体也法者用也徒知体而不知用者弊躰用不失可謂上工矣

小字法血定躰應変而施茶不執方合宜而用

方者對証配剤之凡例而已无臨機應変之進退故取對証配剤之範而不執於定方也

許叔微宋翰林学士

# ○立方指南篇四

一　方法難執釋

五臟寬中散方後曰反胃諸方悉是香燥大熱之藥皆不足爲法　王機二十五反胃

丹溪所謂補血益陰潤燥和胃調中隨證用之雖無其方觀立論

發揮許學士曰我善讀仲景書而未嘗全用其方

一　醫法貴適中之說

影者如影應其形，響者如響答其声。
正誤　正泥古今方藥之誤（條下）
錢氏者論世泉而无癈
誠為小兒之聖藥守其方
而不知權者則不容拘不偏也

譬之夏惟冬衣裘而已執一是
執中也隨天地運氣之寒暑
進退而衣裳衣單復者
是權之中也
算要　九味羌活湯方後曰
此方乃易老所制凡見表
證者宜服之不犯三陽禁忌
實解利之神藥也然泥一藥
而類治諸證皆用其方而

正機二十六脹滿神應凡方後曰隨其邪之所在高下淺深輕重虛實影響無間萬舉萬全是謂中行（無太過不及之誤）

假如病大而湯劑小則邪氣少屈而藥力已乏（不及之誤），病小而湯劑大則邪已盡而藥餘力傷正（太過之誤），是乃粗工也（粗工者而不知聖人之意也）千治萬論惟中而已過與不及皆為偏廢然而太過尤甚於不及

正傳一九味羌活湯後曰然亦不可執一執之中無權猶執一也

必視經絡前後左右之不同，從輕重大小多少之不一，增損用之（藥種增損又加減分量）

正傳小兒痘部曰

予所以立方之意則未必見者有執一之弊故述各業之主治使学者詳而用之

立方本意ハ治病ヲ為君主助ヲ臣業カツ為佐各分量大小因用従導也必ス其分ツ

夫依陳氏者多用熱藥故不偏於熱
宗劉張者多用涼劑
則偏於寒此刻舟求劍之道也（息知ノ類也）
寶鑑一汗多亡陽部曰
今當汗之一過亦中絶其命況不當汗而強
汗之者乎　又下多亡陰部曰不當下而強
而強下之令人開陽洞泄便溺不禁而死

一　立方本意因用分兩之例

寶鑑六滋腎丸治下焦陰虛脚軟無力陰汗
陰痿足熱不能履地不渴而尿閉
桂二錢　知母二兩酒洗　黄栢二兩酒洗焙
經曰熱者寒之腎惡燥急食辛以潤之

黄栢若辛寒瀉熱補水潤燥爲君

知母若寒以瀉腎火爲佐

肉桂辛熱寒因熱用也

正傳或問曰彼雖畏我而主治之能在彼當彼重我輕以殺其毒耳我重彼輕盡奪其權而治病之功劣矣

玉機三十五眩門六合湯四物加秦艽羌活

當歸　甘温而補血

川芎　辛而温散故解鬱

補血之陽

芍藥　酸而寒收故補陰

地黄　甘寒而生血

補血之陰

秦艽羌活爲佐使不宜等分而用

一、正傳三虛門曰

四君治氣虛 參一戔半 朮 苓各二戔 草一戔

右細切水煎 如自汗出或小水利者去苓加芪

四物治血虛 歸二戔 芎 芍各一戔半 熟地二戔

右細切水煎 春倍芎夏倍芍秋倍地冬倍歸

八物治氣血兩虛四君四物合爲一劑加減如上法

十全大補治氣血俱虛而挾寒暑

八物加黃芪肉桂

右細切加大棗生薑水煎加減如上法

一、五臟六腑虛實寒熱 醫家大法曰

肺
有餘為寒　氣　參姜丁子藿陳桔
　　　　　血　五味烏梅木瓜
不足為熱　氣　知門貝苓梗
　　　　　血　梔芩

實　杏　桑白　知　粳　桃　枳殼
虛　參　芪　膠　粳　縮　藿　菀

大腸
實　杏　桃　大黃　芒硝　牽
虛　膠　龍骨　訶　罌　乳香

脾
實有餘為濕　氣　苓姜參甘陳青
　　　　　　血　朮桂
虛不足為燥　氣　參芪益智
　　　　　　血　木瓜烏梅白芍塩棗

胃
實能食　大黃　芒硝　巴豆　輕粉
虛不能食　萎　朮　麯　棗　耳
能食能便胃實腸虛　枳殼　朴　石脂

汗多心悸桂神益
太陰脾濕悸苓朮澤
腎虛少陰悸柴逆邪
雜病心神虛悸辰砂神

不能食不能便胃虛腸實朮枳殼蜜

能食不能便胃實腸實大黃巴牽

不能食能便胃虛腸虛理中湯

心
- 有餘爲熱
  - 氣 牛黃 腦子 黃連
  - 血 辰砂 生地 梔
- 不足爲寒
  - 氣 參 苓 菖 姜
  - 血 桂 地 歸

心悸
- 汗多 桂
- 陰證 苓
- 少陰 柴
- 雜病 辰

痞悶
- 虛 半
- 實 枳
- 寒 姜
- 熱 連
- 濕 澤瀉 茯苓
- 燥 木 白芍藥

小腸
- 實 赤茯 小豆 參 燈草 車 琥 通 生地 瞿
- 虛 白茯苓 茴 粳 白芍 龍骨 赤石脂

腎 水

有餘為寒
氣 山茱萸 附子
血 茯苓 桂 巴戟 熟地

不足為熱
氣 山藥 遠志 五味
血 蛎 蛤粉 生地

命門 火
有餘 生地 栢 辰砂 知母
不足 附子 烏頭 桂 硫黃

精滑 連 栢 益 縮 地 蛤粉 牡蛎 遠

膀胱
實 澤 苓 滑 猪 苓 牽
虛 桔 山茱萸

三焦
實 麻黃 梔 芩 翹
虛 桂 附 硫 蓯

肝

有餘則聚 聚則宜通
氣 薄荷 荆芥 防風 羗 芎 龍膽
血 紅花 莪 稜 鱉

不足則燥 燥則宜潤
氣 吴茱 菊花 枸杞子 大麻
血 歸 杜仲 牛膝 川芎 白芍 熟地
血竭 没藥 槐 莢 兎絲

風實則泄羌活細辛大黃牽皂角

風虛則補白花蛇天麻牛膝杜仲續斷

危絲萆薢

膽
實柴翹連芄膽
虛參歸熟地酸棗仁

一救補辨例

五機十七內傷門補中益氣湯方後曰

加黃栢救腎水
以地黃補腎水

一和平字訓

五機四十九婦人門曰

詩言婦人和平則樂有子和則血氣不争平則陰陽不乖

假如者舉一隅之辭
欲使散行則忌酸收
欲使潤沢則忌淡苦
欲使乾燥則忌甘温
即是反三隅之謂也

穀氣朝于肺而営于十二經
氣行于胃主之
津液朝于肺而営于十二
經栄潤脾主之

一藥食違順　寶鑑六

假如欲使收斂則必須忌辛散之飲食也

一棗薑功能　寶鑑五

胃者衛之源益衛
脾者榮之本補榮
必以辛甘

甘辛相合脾胃健而榮衛通是故以大棗

生薑爲使

棗埴沉伏傷治
辛生ノ養食生光虚ノ補中ニ六十

本草衍義序曰周禮
医師掌養萬民之疾病
以五味養之 酸以養骨
辛以養筋 鹹以養脈 苦
以養氣 甘以養肉
多食
鹹則脈凝泣而変色
苦則皮槁而毛拔
辛則筋急而爪枯
酸則肉胝䐢
甘則骨痛而髮落
此五味之所傷也

# 用藥指南篇五

一五味所用之大抵　湯液　集要

夫
酸束而收斂　能收緩收散
苦直行而泄　能燥濕堅軟
甘上行而發　能緩急
辛横行而散　能散結潤燥
鹹止而軟堅　能下行　補上行　墟下行

甘味
有升降浮沉
可上可下
可內可外
有和有緩
有補有瀉

一用藥專土産之說　集要

昆虫草木産之有地

凡藥
　失其時月

根葉花實採之有時

失其地則性味少異

失其時則氣味不全

一幽微斟酌醫家大法

治上下必妨下上

假令
　用芩以治肺必妨脾
　用蓯蓉以治腎必妨心
　服干姜以治中必僭上
　服附子以補火必涸水

脾ハ太陰而シテ主津液
胃ハ陽明而シテ主燥乾
表邪ハ發シ裏邪ハ泄シ
上ハ行氣下ハ通血

治胃ハ胃実シ燥則ハ以瀉
潤脾為君藥佐
和胃実ノ類

叔和曰

治脾必連其胃
治表必連其裏
治上必連其下
治下必及其下

但主病者多而連及者少理所當然也

雜著醫論

一（內傷 外感）用藥多寡之分別

仲景觀方藥品甚少——外感而急暴也

東垣用藥多至二十餘味 內傷而緩慢也

私曰
雖外感 初法仲景 先從表裏而逐外邪
後則東垣 後助正氣而調脾胃
雖內傷 初宜兼吐下 先退上下食傷
後謂養脾胃 後主建中

一上下引用酒塩製例 弁疑

上焦 下焦 氣熱
酒炒芩連 上膈治肺氣熱 通治心氣熱 各假酒力
陰塩炒梔柏 行清中下焦躁氣熱 清相火而救腎 各假塩味

一上下因用之藥劑　心法痘部

上因用升麻葛根

下因用檳榔牛膝

一因用明說　玉機九補中益氣湯方後

熱因寒用
寒因熱用
伏其所主先其所因

一藥劑所主宜本偏長

湯液曰藥味所主偏長為本

本草一物主十餘病

當推絜古藥之所主不必多言只一兩句

多則不過三四句非務簡取其所主之偏

長耳

一生熟異用之九例　湯液

地黄若脉洪實者宜生（凉血散血止血）虛弱則宜熟（補血而調虛弱）

甘草生用瀉火　炙用温能補上中下焦元氣

集要曰卷栢生用破血　炙用止血

一本經引藥　正宗

手足太陽　小腸膀胱　藁本羌活

手足少陽　三焦膽　柴胡

手足厥陰　命門肝　柴胡

手足陽明　大腸胃　葛根白芷升麻

労瘵傳尸骨蒸之要
証ハ膏肓上下ニ則
針薬モ不能治ス

五穀五肉五菜五菓也

参ハ補元気ノ陽気ヲ
芪ハ補肺ノ勝気健胃ノ
中気命門ノ元気ヲ

手太陰　肺　白芷升麻葱白
足太陰　脾　升麻白芍
手少陰　心　獨活
足少陰　腎　獨活少加桂

一本通經用此藥為使豈能有病到膏肓

一欲用毒藥便當察胃之虛實

格致餘論曰

凡攻擊之藥有病則病受之病輕而藥重則胃氣受傷

胃與穀肉菜菓相宜藥石皆是偏勝之氣雖

參芪輩為性亦偏況攻擊之藥乎

一瀉正瀉邪之明例　寶鑑十二

瀉肺用苦寒（梔芩）非瀉肺（去邪火助肺正金也）瀉肺中之火實補肺氣

注：天以五氣食人者
臊焦香腥腐
氣湊
肝心脾肺腎
也

也

本草曰
瀉肺正氣辛味　桑白　諸辛
補肺正氣酸味　五味　芍薬

私曰餘臟宜倣之

一隨時換氣之説　脾胃論

九藥之所用皆以氣味爲主

補瀉在味
酸補肺　辛瀉肺　諸葉之五氣五味　秋収斂
辛補肝　酸瀉肝　春發生

一隨時換氣　氣者葉之性氣
假令欲補肺
熱時芍薬
寒時五味

一氣味不宜偏廢　六節
素問曰
天食人以五氣
地食人以五味

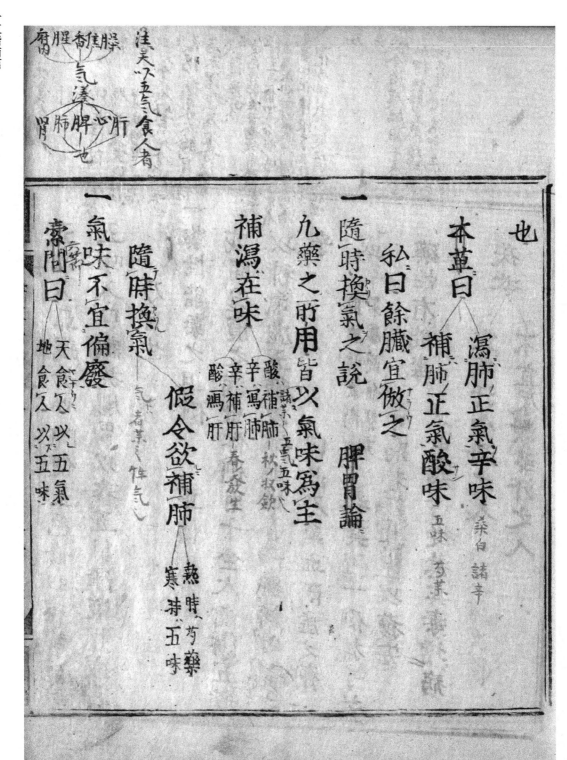

地以五味食人者
酸　肝
苦　心
甘　脾　也清陽化氣而
辛　肺　上為天濁陰
鹹　腎　成味而下為地
故天食人以氣地食人以味也
陰陽應象大論曰清陽為天濁陰為地又曰陽為氣陰為味
心榮面色肺主音聲故氣藏於心肺上使五色修潔分明音聲彰著
氣為水母故味藏於腸胃內養五氣五氣和化津液方生津液相副化成神氣乃能生而宜化也
假令治痰結用半夏茯苓中病得快驗若充痰結忽燥三焦津液卻生病矣



五氣入鼻藏於心肺使五色修明音聲能彰
五味入口藏於腸胃以養五氣津液相成神
乃自生　魂魄神意知日精志七神是五藏之主也

藥性能毒之明例　　正傳

或問虛損之病世俗例用十全大補湯五積以補氣虛五種以補血虛吾子將何以議之乎
曰此乃氣血兩虛之劑

或
- 血虛而氣尚實
- 氣虛而血猶充

者其可一例施乎蓋

藥性有能毒
- 中病者藉其能以獲安
- 不中病者從惹其毒增病

茯苓
- 宜無汗少溺之人
- 不宜尿數多汗之人

血虚有痰之人用地黄以姜汁炒

爾雅：水源所止曰泥

黃芪
- 宜肥白氣虛多汗之人
- 不宜蒼黑腎氣有餘之人服之薄悶不安

甘草
- 宜健脾補中瀉火除煩
- 禁嘔吐中滿嗜酒之人

芎
- 宜補血行血清利頭目
- 禁骨蒸多汗氣弱人散真氣也

地黃
- 生用
  - 能生血脉
  - 胃弱忌之損胃不食
- 熟用
  - 補血養血
  - 痰盛者恐泥膈不能行

人參
- 宜潤肺補脾元氣虛損不可缺
- 久嗽勞嗽咯血鬱火在肺禁之者

誤用
- 加嗽
- 增喘

白芍
- 涼血益陰專收斂宜血虛腹痛
- 形瘦氣弱禀虛寒人忌之伐發生之氣也

餘種例而可知藥性能毒未易悉舉學者宜究本草之詳

# 用藥指南篇六

一　藥劑兩用辨例　湯液曰

防風
- 身去身半巳上風
- 稍去身半巳下風

羌活、獨活　活
- 入足太陽治血風
- 入足少陰治氣風

川芎
- 上行頭目治諸頭痛有熱者不能治
- 下行血海

麻黃、桂枝　治
- 衛實
- 衛虛

縮砂
- 參智、栢苓　爲使則入
  - 脾
  - 腎

黄耆
- 行表治汗
- 在中柔脾胃
- 下行補腎元氣

蒼术 白术
- 除上濕發汗
- 補中焦除濕

地黄
- 脉洪實宜生
- 脉虚弱宜熟

甘草
- 生用瀉火
- 炙用補氣

芩（首 尾）
- 泄肺火解肌熱
- 清大腸火治下部

- 半夏
  - 能泄痰之標
  - 不能泄痰之本
- 五味
  - 在
    - 上入手太陰滋肺
    - 下入足少陰補腎
- 蒲黄
  - 消瘀血破血生用
  - 止血治帶炒用
- 牽牛
  - 以
    - 氣藥引之入氣分
    - 大黄引之入血分
- 桂
  - 薄爲枝治目發散
  - 厚爲肉治藏下行
- 山茱
  - 肉秘精壯元氣
  - 核滑精故去之

厚朴與
枳實大黃同用泄實滿
陳皮白朮同用除濕滿

沉香養氣
上而至天
下而至泉

梔子
仁去心胸中熱
皮去肌表熱

枳
實主下血心腹
殼主高氣胸膈

大棗
生食生腹脹注泄
蒸食補腸胃肥中益氣

陳皮
補脾胃不去白
有朮補脾胃
無朮瀉脾胃
理胸中肺氣去白
有甘補肺
無甘瀉肺

青皮
- 有滯氣破之
- 無滯氣損真氣

粳米
- 生則不益脾
- 過熟則佳

酒
- 辛能散
- 苦能下
- 甘居中而緩
- 淡利小便速下

心法曰

蜜
- 宜燥人
- 禁濕人
- 喜入脾

山藥乾之本意
- 生濕則不可入藥
- 熟則堪啗滯氣

牽牛
- 黒屬水
- 白屬金

合歡
- 蠲忿

萱蓮
- 忘憂

椒目
- 行滲道
- 不行穀道

射干
- 紫花者是
- 紅花者非

桃仁
- 若以泄滯血
- 其以生新血

升麻
柴胡
引
胃氣上騰
少陽氣上升
而後其本位

防已
漢主水氣根
木主風氣苗

集要曰

卷栢
生用破血
灸用止血

石龍蒭即燈心草
五七月採莖
八九月採根

烏
白
梅
火燻乾之
曝乾瓷器藏之
去核

正傳曰

當歸
首宜上焦瘀血上焦血少
身宜中焦瘀血中焦血少
尾宜下焦瘀血下焦血少

木香味辛氣升如氣鬱而不達宜用
若陰火衝上而用之反
助火病甚故用知栢少
加木香佐之

本草曰
陶曰正月採枝謂之通草
陳士良曰莖名木通

柴胡、連翹治 經中之氣熱
經中之血熱

杏仁下喘治氣
桃仁療狂治血也

橘實之酸聚痰
甘潤肺

治脾胃
寒湿虚痿白朮
熱湿心痞黄連

纂要處門

補氣用人參
蒼黒人多服之久助火邪爍眞陰以朮代之
肥白人多服最好必加陳皮同用

湯液曰人參
補上焦元氣　人參三分　升麻一分
補下焦元氣茯苓爲之便

一毒藥攻劑過用久服之戒　心法滯氣
破滯氣用枳殼三二服而已　損胸中至高之氣也
滯氣用青皮勿多用多則瀉眞氣餘劑准之

一宜禁酸澁之病証　脾胃論

一腹中窄狭及縮急諸酸澁藥不可用之

一 五臟性味補瀉解惑　集要

肝膽
- 味：辛補、酸瀉
- 性：溫補、涼瀉

春而發生

心小腸
- 味：鹹補、苦瀉
- 性：熱補、寒瀉

命門三焦同

脾胃
- 味：甘補、苦瀉
- 瀉涼寒熱補瀉各從其宜

肺大腸
- 味：酸補、辛瀉
- 性：涼補、溫瀉

腎膀胱
- 味：苦補、鹹瀉
- 性：寒補、熱瀉

正傳內傷門曰

飲食勞倦所得之病當用溫平甘多辛少之藥治之

一左經湯之論理　寶鑑十五

治筋骨諸疾手足不隨專欲療心肝腎之三經也

一常用藥劑必慎失伐　脾胃論

春夏汗下
秋冬而汗
是失天信伐天和也

若有病則從權

一七方明說

湯液本草
醫家大法

大

君一臣三佐九腎肝位遠大其服
不厭頻而多

小
君一臣二心肺位近小其服
不厭頻而少

緩
氣味薄
補上
治上
治主以緩

急
氣味厚
補下
治下
治客以急

奇
近者奇之
君一臣二之類

偶
遠者偶之
君二臣四之類

有
味之奇偶
數之奇偶

升麻湯升而不降為之奇
調胃承氣降而不升為之偶

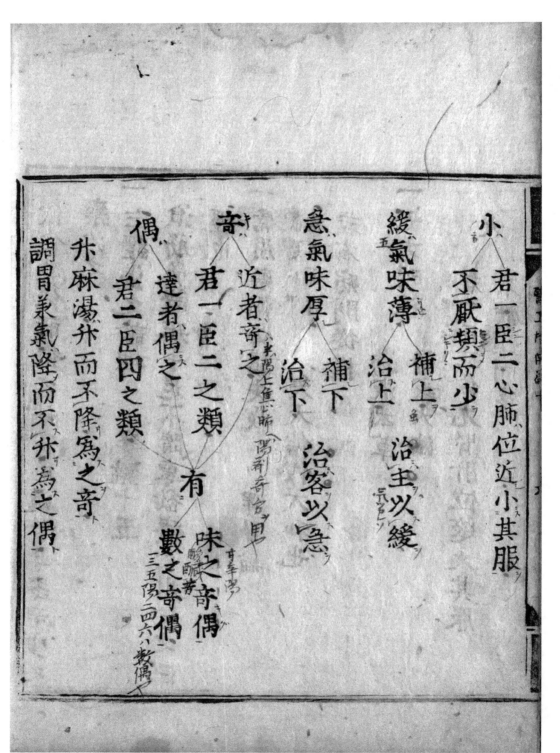

複冊也重也

奇之不去複以偶

偶之不去複以奇

所以使不失通

絜古法

十補一泄

數泄一補

塞之道也

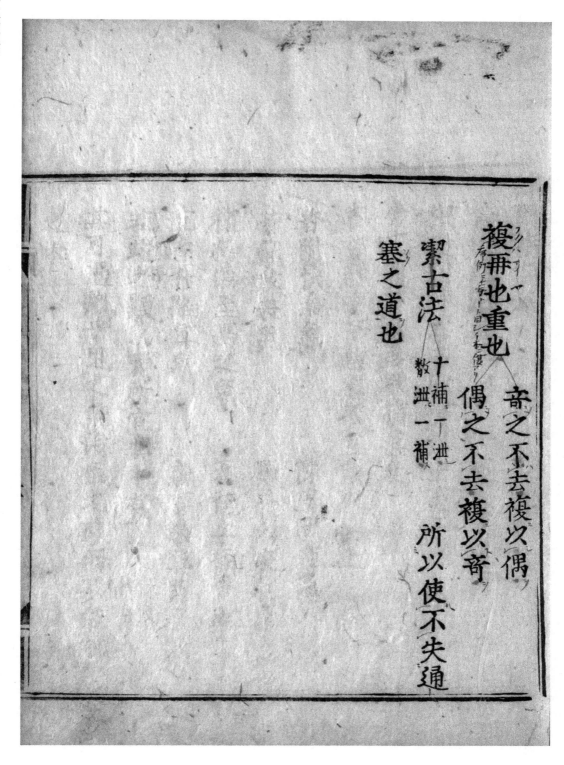

# 辨劑指南篇七

一 辨證治氣異劑　本草集要曰

枳殼利肺氣多服損胷中至高之氣

青皮瀉肝氣多服損眞氣

木香行中下焦氣不宜陰火衝上

香附快滯氣　陳皮泄逆氣

紫蘇散表氣　厚朴瀉表氣

檳榔瀉至高之氣　藿香上行胃氣

沉香升降眞氣　腦麝散眞氣

若此之類氣實所宜其中有行散損泄者其可過劑乎用之能治氣之標而不能制氣之本

九　氣鬱皆爲火
　　上升之氣皆爲火

大抵治氣鬱氣升有餘之証當用降火藥乃是制其本也故治上焦氣用香附芎藭連芩等
局方治氣率用香辛燥熱走散之藥眞氣耗散陰血乾枯而去死不遠矣

## 治氣門

補氣清氣之劑　同

人參　補脾肺陽氣不足
　　升麻引用補上焦
　　茯苓爲使補下焦

麥門冬　補心肺中元氣不足短氣

白朮——在氣主氣補中進食斂虛汗

黃芪——實皮毛補肺氣
　　——斂虛勞自汗
　　——補腎三焦命門元氣

菖蒲——補五臟開心孔通九竅明耳目下氣

遠志——補不足利丈夫定心氣止驚悸

山藥——益氣力強陰

巴戟——補中益氣增志

葛根——升提胃氣

升麻——元氣不足者用之於陰中升提陽氣上行

貝母—治欬嗽上氣

馬兜—主肺熱欬嗽上氣

款冬—溫肺止嗽主上氣喘息

桔梗—開氣血利咽膈之氣

茯苓—主胸脇逆氣驚悸調胃氣

桑白—瀉肺氣有餘去肺中水氣

竹葉—主咳逆上氣嘔吐

益智—益氣調諸氣止小便

大棗—平胃氣補少氣少津液

烏梅—下氣收肺氣

枇杷葉—治卒嘔下氣

龍骨—同氣澁腸縮小便

羚羊角—安心氣益氣

○温氣快氣之劑

生薑—治欬逆上氣

肉豆蔻—開胃下氣消食

縮砂—下氣消食

桂—温中利肝肺氣

丁香—治口氣腎氣賁豚

沉香—散滯氣升降眞氣

吴茱—瀉肝氣治疝下氣最速

訶子—主冷氣心腹脹痛逆氣澁腸止久

痢

○行氣散氣之劑

蒼朮｜進食發汗消痰癖氣塊
川芎｜開鬱行氣治一切氣心脇痛
香附｜益氣降氣開鬱快滯氣
柴胡｜在經主氣治胷脇痛引清氣行陽
道升提胃氣上行
前胡｜下氣治寒熱心腹結氣
防風｜瀉肺實散頭目滯氣瀉上焦元氣
白芷｜治鼻氣塞
麻黄｜泄衛實止咳逆上氣
木香｜調諸氣散肺中滯氣行肝氣
薏苡｜下氣除筋骨風濕不仁
藿香｜芳氣上行動脾開胃温快中氣

龍腦——能散氣通利關膈氣塞風涎
酒——助火生痰傷肺氣
大腹皮——下氣主冷熱氣攻心腹
橘皮——導胷中滯氣泄逆氣理肺氣降痰
杏仁——下氣散結潤燥
木瓜——主脚氣濕痺
葱白——出汗除肝邪氣奔豚氣脚氣
荊芥——宜通五臓破結聚氣
紫蘇——發汗下氣治脚氣
同子——主肺氣喘急消痰下氣
香薷——下氣利尿治霍亂
○破氣消氣之劑

三稜 ― 治老癖破血中之氣

莪茂 ― 破痃癖氣積聚破氣中之血

檳榔 ― 破滯氣泄至高之氣治後重去心
痛脚氣

枳殼 ― 散結氣破癥結通關節泄肺氣損
胷中至高之氣

同實 ― 散結氣治逆氣心下急痞

厚朴 ― 温中散結氣治腹脹

青皮 ― 瀉肝氣治脇痛

神麯 ― 調中下氣消食

海蛤 ― 止欬逆上氣喘息

一治血門 同

○補血温血之劑

人参—治亡血脉虚

白朮—在血主血利腰臍間血

甘草—和中補血治肺痿吐膿血

紫苑—治肺痿唾血

款冬—治肺痿肺癰吐膿血

香附—逐瘀血血中之氣藥炒黒止血

○補血生血之劑

麥門冬—治血熱妄行
強陰益精生津

五味—上滋肺
下補腎

熟地黃—大補血滋腎

生地黃—涼血生血

蓯蓉—強陰益精主泄精尿血帶下

菟絲子—添精補髓

牛膝—益精髓活血生血

川芎—治一切血破宿血養新血

當歸—和血補血大補不足治血通用

芍藥—抑肝通順血脉補脾經血

紅花 多用破血
　　 少用入心養血

枸杞子—強陰益精明目血虛用之

黃栢—治鼻洪吐血下血補腎水主女子

漏下赤白
合歡｜補陰有捷功
桑白皮｜主喘嗽唾血痰血
覆盆｜主男腎虚精竭陰痿
阿膠｜治肺虚極損欬唾膿血安胎
龜甲｜主漏下赤白大補陰血續筋骨治
勞倦

○

涼血止血行血之劑
茅根｜除瘀血血閉崩中
同花｜主衂血吐血
艾葉｜止下痢赤白吐血衂血瀉血婦人
漏血安胎

蒲黄　治吐衄唾崩
　　　生用破血消腫
　　　炒用止血補血

續斷——調血脉崩中漏血腰痛

牡丹——治腸胃積血不散衄血吐血

括蔞子——止吐血腸風瀉血赤白痢

柴胡　在臟主血産前後必用之
　　　入血藥能調經
　　　佐破血藥能消血積

黄連——止吐血治赤白痢

黄芩——治痢血身熱肺熱吐血衄血

連翹——通五淋及月經治血證中使也

竹葉｜治欬逆上氣吐血

竹茹｜主吐血衂血齒縫出血崩中

五加皮｜治陰痿遺尿風痺五緩

乳香｜調血氣定諸經之痛

棕灰｜澁腸止痢主崩中帶下鼻洪吐血

萊菔根｜治肺痿止血消衂

韭汁｜下膈間瘀血

木賊｜治下血血痢月崩

鬱｜散血消瘀血

龍骨｜主尿血鼻血吐血女子漏下夢遺

澁精

羊角｜解熱毒破血

羚羊角ー去惡血
牡蠣ー主女子帶下赤白鬼交泄精止小
便
亂髮ー補陰甚捷止衂血治金瘡
人溺ー主卒血攻心瘀血衂血
○破血消積血之劑
蒺藜ー破惡血癥結溺血
茜根ー治六極傷心肺衂血吐血下血尿ー
血去諸死血
鬱金ー破血積女人宿血心氣痛
薑黃ー破血通月經治產後敗血攻心
延胡ー破血治血塊心腹痛產後諸病血

血暈上行

三稜——消惡血老癖癥瘕破血中之氣

莪茂——消瘀血破痃癖破氣中之血

干漆——消瘀血破癥瘕治血氣心痛

枳實——治心下痞去脾經積血

巴豆——通女子月閉破癥瘕

秦椒——治產後惡血痢

騏驎竭——破積血止痛

沒藥——破血治撲損血滯腫痛

虎杖——通血癥瘀血

蘇木——消撲損瘀血治血噤血暈產後血脹悶欲死

桃仁　主癥瘀血閉血燥便難通月水
　　止痛破滯血生新血
麻子　潤大腸血燥
大麥蘗　行上焦滯血破宿血
蠐螬　主惡血閉癥破折血在脇下堅痛
鼠婦　主氣癃月閉血癥寒熱
木蝱　逐瘀血血閉癥瘕寒熱無子
水蛭　逐瘀血血閉癥積無子

一治熱門　同
治熱以寒寒藥畜血
○治上焦熱之劑
天門冬　治肺熱涼血熱止消渴

麥門冬——治心肺熱虛勞客熱

前胡——治傷寒寒熱

貝母——主傷寒煩熱

黃芩——瀉肺火上焦痰熱目熱

括蔞——主傷渴

桑白——瀉肺實

梔子——去心中客熱虛煩不得眠主目赤熱痛

　　　瀉肺火除胃濕熱發黃

　　　下行降火利尿赤

茯苓——降肺火代腎邪

竹葉——治胷熱咳逆

青黛——收五臟鬱火諸熱驚癇

水萍—主暴熱身癢發汗
連翹—瀉心火降脾胃濕熱通淋
薄荷—發汗涼熱
梨—除心煩肺熱欬渴
枇杷葉—治肺熱久嗽渴疾
辰砂—涼心熱止煩渴
石膏—治中熱潮熱頭痛瀉胃火

○治中焦熱之劑

白朮—除胃熱
黃芪—爲虛熱之聖藥
甘草—生用瀉熱火
芍藥—瀉脾火涼血熱

香附｜除胷中熱
大黃｜瀉諸實熱不通
黃連｜瀉心火除脾胃濕熱
胡黃連｜主疳熱骨蒸
秦艽｜主傳尸骨蒸
葛根｜除胃熱消渴解肌熱出汗
茵陳｜治傷寒煩熱濕熱發黃
香薷｜治傷暑煩熱下氣通尿
茅根｜下淋止渴解腸胃熱
苧根｜治大渴大狂心熱煩悶
蘆根｜治消渴客熱時疾煩悶
升麻｜主肌熱發斑升散鬱火

芒硝—主久熱胃閉

犀角—治傷寒頭痛熱狂

羚羊角—治時氣肌熱

○治下焦熱之劑

熟地黃—主血虛勞熱

生地黃—瀉血熱脾熱

黃檗　瀉膀胱熱清小便治結熱黃疸
　　　補腎陰治勞熱

牡丹—瀉陰火主虛勞無汗骨熱

地骨—解肌熱治內傷有汗骨蒸

地榆—涼下焦血熱痢

知母—主消渴瀉腎火治有汗骨蒸久—

瘡煩熱

柴胡—瀉肝火除往來寒熱

龍膽—主驚癇胃熱下焦濕熱

防已—主溫瘧下焦濕熱腫盛

條芩—除大腸熱後重身熱

苦參—治惡瘡大熱

車前—治肝熱目痛

通草—治小腸熱淋

石韋—主五癃

秦皮—治肝熱目赤

鳥鴉—治瘦咳骨蒸

龜甲—治癥瘕痎瘧骨中寒熱

鱉甲—治温瘧勞瘦堅癥寒熱

人溺—治寒熱頭痛勞欬肺痿降火最速

一治寒門　同

治寒以熱熱藥屬氣

○治上焦寒之劑

人參—治肺寒嗽

乾薑—利肺氣出汗

麻黄—主傷寒頭痛發表出汗

藁本—治寒鬱頭痛齒痛

附子—治中寒四逆心腹冷痛陰毒傷寒
除腎中寒補命門火衰陽事不舉
生用發汗行表
熟則温中行內

半夏—治肺冷痰咳

酒—禦風寒冷氣

○治中焦寒之劑

葳靈仙—去腹内冷滯腰脊冷痛

良薑—主胃冷衝心霍亂腹痛

縮砂—主虚冷瀉痛

木香—治心腹冷氣

華澄茄—主心腹冷痛腎氣膀胱冷

肉豆蔻—治心腹冷痛胃虚吐瀉

桂—温中治心腹冷痛下焦寒冷

益智—治脾胃受寒嘔噦

厚朴—温中治胃冷逆氣

丁子—温脾胃止霍亂嘔逆冷氣腹痛脹

陽煖腰膝

巴豆—去胃中寒積

胡椒—治心腹冷痛痢

蜀椒—除寒濕痺痛心腹冷痛

訶子—主冷氣心腹脹滿

麥芽—破癥結冷氣

神麯—同麥芽

○治下焦寒之劑

菟絲—治男女虛寒腰痛莖寒精出

補骨—主風痺肢酸陽衰精流腰膝冷痛

囊濕

葫蘆巴—治元臓虛冷腹脇脹滿

蘹香一治寒疝膀胱冷氣腹痛
沉香一補命門壯元陽煖腰膝止轉筋吐瀉
吳茱一治下焦寒濕疝痛
烏藥一治膀胱腎寒冷氣攻衝皆療
硫黄一治下元虛冷寒淴脚冷

# 辨治指南篇八

一　諸証潮作早晏氣血

玉機瘡門曰在
- 氣則發之早
- 血則發之晏

平旦
日晡
潮熱在
- 行陽之分肺白虎温氣中火
- 行陰之分腎地骨皮飲瀉血中火

心法脹門曰
- 朝寬暮急血虚
- 暮寬朝急氣虚
- 終日急氣血皆虚

一　候色辯治

一雜著曰
白 赤
痢久胃弱
氣虛 減芩連芍加朮芪苓橘縮
血虛 減芩連加歸芎地膠橘朮

心法曰 血淋一證看血色須分冷熱
色鮮者心小腸實熱
色瘀者腎膀胱虛冷

一下證兩因辨治之例 雜著續醫論

婦人經脈不行
一脾胃之虛損
一經血之凝結

一病有淺深治弁輕重 寶鑑四
內傷之
微者俱減食一二日傷物自消
稍重者以藥內消之
太重者以藥除下之

一癰疽通辨　外科精義曰

大抵瘡疽之發　虛中見惡候者不可救

實中無惡候者自愈

一婦腫血分水分之辨　權度水腫門曰

經水先斷後病水名曰血分

婦人先病水後經斷名曰水分

一諸証肥瘦辨治凡例

正傳中風門曰　肥人中風不分左右皆屬痰

瘦人中風陰虛火熱

同眩暈門曰　肥白清痰降火兼補氣

黑瘦滋陰降火帶抑肝

心法怔忡部曰
瘦人血少
肥人屬痰

同頭痛部曰
肥人濕痰白朮半夏
瘦人熱也酒芩防風

纂要痛風
肥人
瘦人
用
朮南滑芩
歸紅桃膠檳

同惡阻部曰
肥人痰
瘦人熱

一虛煩發熱
陽虛
陰虛
明辨
雜著醫論

食傷
勞役後
陽虛發熱陽氣自傷不能升達降下陰分而爲內熱乃陽虛也脉大而無力屬肺脾補其氣以升提之

勞心嗜慾陰虛發熱陰血自傷不能制火陽氣升騰而爲內熱乃陽旺也脉數而無力屬心腎滋其陰以降下之

經曰脉大而無力爲陽虛
數而無力爲陰虛

一諸治有升有降之例　心法痢部曰
壯實初病宜下
虛弱
衰老　宜升
久病

一上下辨治諸證凡例
心法水腫門曰腰已下腫宜利小便腰已上腫宜發汗

一同消渴門曰
膈消白虎加人參湯
中消調胃承氣三黃丸
下消六味地黃丸

一同痛風
在上加羌蔵桂
在下加膝巳通栢
血虛加芎歸桃紅

一新久辨治諸證凡例　心法喘急
久病氣虛而喘阿膠人參五味類補之
新病氣實而喘桑白葶藶瀉之

一同中風
初得即當順氣
及日久即當活血

一痰鬱
在陰
在陽
之辨

玉機痰門曰在陽不去者久則化氣
陰不去者久則成形

一表裏補益加劑凡例
玉機虛損門升陽益胃湯方後曰
東垣曰 表虛用桂枝
裏虛用參芍

一痞証虛實辨治凡例　　玉機心痞門曰
實痞大便秘厚朴枳實
虛痞大便利芍藥陳皮　主之
傷寒　痞者以　苦瀉之
雜病　　　　　辛散之

一諸渴潤堅療味辨例　　寶鑑十二

雜証有汗而渴者以辛潤之
無汗而渴者以苦堅之

小便自利而渴知内有燥宜潤之

小便不利而或渴不渴知内有濕熱宜滲之

一氣血真衰陰陽虚証辨治解感　正傳或問

夫陽常有餘陰常不足

經曰陽中有陰陰中有陽

氣虚者氣中之陰虚也四君以補氣中之陰

血虚者血中之陰虚也四物以補血中之陰

陽虚者心經之元陽虚其病惡寒責其無火

補氣藥中加烏附

陰虚者腎經之真陰虚其病壯熱責其無水

補血藥中加知柏

故王太曰　益火之源以消陰翳　壮水之主以制陽光

眞水衰極之候切忌烏附等補陽

元陽虚甚之証切禁芎芩辛散淡滲等

一痃癖積聚癥瘕三焦辨治　附三塊捷弁

正傳或問曰

痞與痃癖　在胸膈間　為上焦病

積與聚　在肚腹内　為中焦病

多見于男子

癥與瘕　見臍下　為下焦病

常得于婦人

同氣門曰積聚痃癖痰氣痞滿類之治法

在

胷臆之間爲痞滿刺痛伏梁等証二陳加實連桔蔞

兩脇而痰攻作痛二陳加青柴芎膽

中焦而爲痞滿急脹二陳加木香枳殻檳朴

下焦而爲奔豚七疝等證二陳加桃梔枳檳茴楝

心法積聚部曰

痞塊在

右爲食積

中爲痰飲

左爲血塊

痰與食積死血而成也

一

晝夜

陰晴

諸証辨例

正傳腰痛門曰

腰痛

不已腎虛　腰是腎府

晝輕夜重瘀血　夜重行陰二十五度之陰分

天陰久坐發濕　濕邪滯重着

諸痛可例知

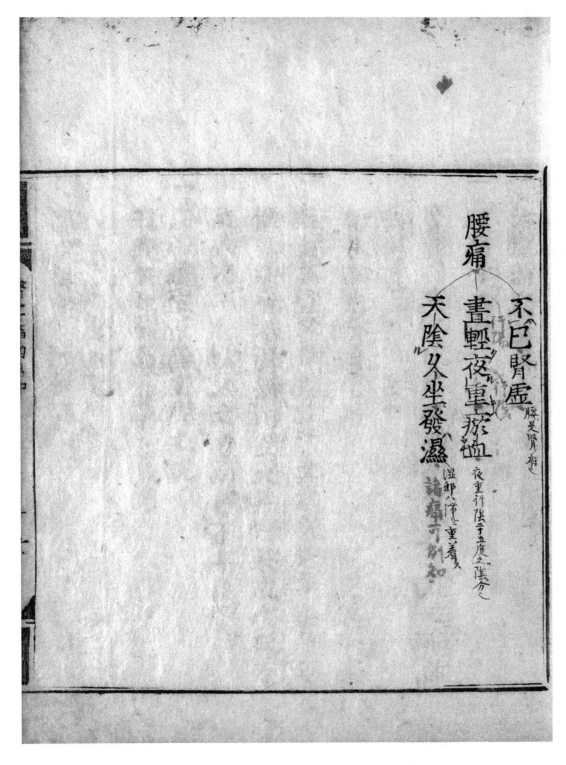

醫工附南鍼中　十六

# 治療指南篇九

一　病宜早治

寶鑑曰怠以皮膚之微疾以至骨髓之痼雖悔何及

一　戊午春桃李始花雨雪寸許一園叟遽舉家盡蹟其雪又焚束草於其本以散其寒是年他家果皆不成獨此園大熟噫果木之病治之尚有不損况人之有病何可不早治乎

一　治法隨宜而無定規之説

玉機十七内傷門曰

善用兵者　攻亦當　守亦當

不善用者（宜攻而守 宜守而攻）
非兵之罪用兵者之罪耳
滓洄孟子所謂盡信書則不如無書

一雜因四約　雜著醫論曰
予每以丹溪氣血痰之三方治病時參解
欝故四法者治病用藥之大要也

一病證藥治宜有分別　寶鑑曰
夫高醫愈病
先審（歲時太過不及之運 人之血湌布衣稟性之殊）
病（虛實淺深在經在臓之別）
而後藥有（君臣佐使大小奇耦之制）

一治（緩急因用引用反正之則）

一貴知變之説　寶鑑十三

噫　守常者衆人之見　知變者智者之見

知常而不知變細事因而取敗者多矣況醫乎

一八邪内外之大抵　寶鑑一

風邪傷衛自汗惡風
寒邪傷榮無汗惡寒
中暑自汗身熱氣虚
中濕自汗體疼沉重
謂之外邪深慎之

飢則損氣
飽則傷胃
勞則氣耗
逆則氣滞傷
謂之内邪宜謹之

以上謂之八邪

一六經見証　正宗　正傳　互顯

太陽

脉浮發熱惡寒頭項痛腰脊強

一陽明

脉長身熱目痛鼻乾不得眠

一少陽

脉強胷脇痛耳聾口苦舌乾往來寒熱而嘔

一太陰

脉沉細腹滿咽乾手足自温或自利不渴腹滿時痛

一少陰

脉微緩引衣踡卧惡寒或口燥舌乾而渴

一厥陰

脉沉濇煩滿囊縮

一同證異治抑強扶弱之説

小學曰所以同證異治非老幼苦樂土地不同而已

陰陽氣運參差不齊

賦生有厚薄

五氣有偏勝

臟腑剛柔不同

也用藥以抑强扶弱耳

私曰大抵察脉弁證處治以其方或應或不應宜所以有此理也

一初中末三治辨例　小學

初治道　猛峻可先新病急驟

中治道　寬猛兼濟病少久去邪養正

末治道　寬緩性味平善廣服必安

一處治八法

醫家大法曰

- 微者逆之
- 甚者從之
- 通因通用
- 塞因塞用
- 汗之
- 下之
- 吐之
- 補之

一逆從正權治法機變

精義曰　病有微有甚

- 微者逆治理之正也
- 甚者從治理之權也

心法曰或
- 逆之以制其微
- 從之以導其甚

一諸疾標本

醫家大法曰
- 先
- 後

得爲
- 本
- 標

是動則爲本
所生則爲標

正傳曰
- 因則爲本
- 証則爲標

經曰
- 急則治其標
- 緩則治其本

一治療辨察　發揮

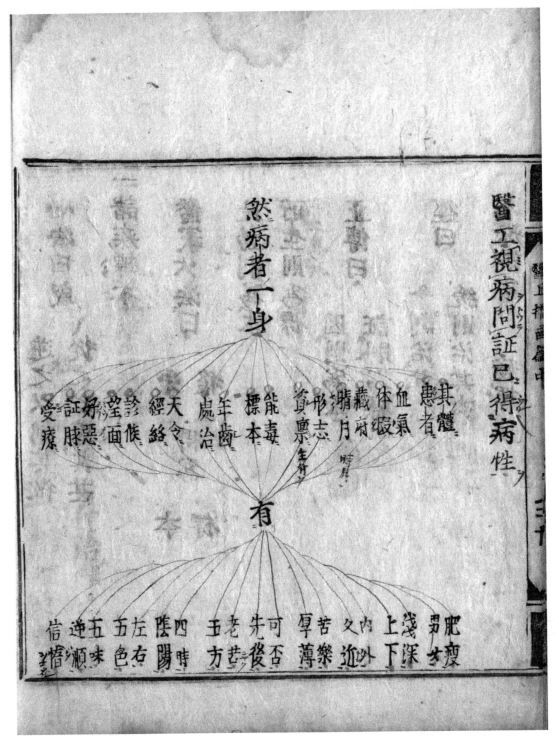

醫工視病問証已得病性

然病者一身

其體
患者
血氣
体殼
藏府
晴月（時月）
形志
資稟（生付）
能毒
標本
年齒
處治
天令
經絡
診候
望面
好惡
証脉
受療

有

肥瘦
男女
淺深
上下
内外
久近
苦樂
厚薄
可否
先後
老壯
玉方
四時
陰陽
左右
五色
五味
逆順
信惛

一四色隱顯之至理

寶鑑九曰

心肺在上行榮衛而光澤於外宜顯而不藏

腎肝在下養筋骨而強於內當隱而不見

格致餘論曰

白者肺氣虛

黑者腎氣足

正傳曰

心肺損而色弊

腎肝損而形瘦

一醫宜察

主宜說

病源

寶鑑三曰

經曰誅罰無過是謂大惑

醫宜察病源　定明所若之因源

主宜說病源　詳須所發之因語說

且脉者人之血氣附行於經絡之間

熱勝則脉疾
寒勝則脉遲

實則有力
虛則無力

一 至於所傷何物豈能别其形象乎

一 相尅相生俱有其用

玉機小兒門曰
相生所以相繼
相尅所以相治
也

一 晝夜偏劇

小學曰

病人
陰虛則夜不寧
陽虛則晝不安
謂之晝夜偏劇

# 治例指南篇十

一　風邪三中之捷辨　心法曰

夫風邪或

- 中身之
  - 前（陽明）
  - 後（太陽）
  - 側（少陽）
  - 皆曰中腑
- 滯九竅
- 見不治之證
  - 皆曰中臟也
- 無中
  - 臟
  - 腑
  - 之証者乃在經

一　古今因証中風辨例　正傳曰

風証因先傷於内而後感於外之候也

俱有標本輕重之不同耳

古人論中風者言其証也如岐伯大法四風証之類

一三子先生論中風者言其因也

河間言心火甚腎水衰

如東垣言非外來風邪乃本氣自病而主 火 氣 濕

丹谿言 西北有真中風 東南濕生痰痰生熱熱生風

一諸治不可失通塞之例

心法愈風湯方後曰

或 一以攻之微汗 一以伺之通利 如此爲常治之法也

一傷寒捷辨傳專即欝

正傳曰

有至人傳曰傷寒大法有四 傳經 專經 即病 欝病 也

夫（即病者多為專經 鬱病者多為傳經）蓋寒邪之中人無有定體

一 治病藥劑用意不一之例

王機積聚門曰

大抵治積或以（所惡者攻之 所喜者誘之）

經曰大積大聚衰其大半而止

一 諸痰因治

雜著痰部氣升屬火順氣在於降火

正傳痰痺門曰（火者痰本 痰者火標）也

一 肺痿因禁　寶鑑二

肺痿或（從汗出 從快藥下利）亡津液得之

今肺氣已虚又以辛藥瀉之重絶其肺

不死何待　奪汗者無血　奪血者無汗

一渴証末傳　玉機消渴門曰

手足陽明津血不足傳爲消渴　能食者必發腦疽背癰　不能食者必傳中滿鼓脹　末傳皆不治

一諸証虚實辨治例法　辨疑腫脹門曰

腫有虚實治有王覇

今人治腫每行利藥殊不知脾胃愈瀉愈虚

病人心躁換藥易醫

醫者俱求速効仍行利藥腫不消矣

所以膈突皆平唇黒雖有扁鵲不能瘳也

一諸積初後辨治　玉機積聚門

三稜湯方後曰

初治非下之削之不可

後治元氣日減下削難用

一除虚中之峻邪便宜用調養之例

玉機水腫門楮實子丸方後曰

服至尿利脹消爲度後服中治調養藥

一温劑逐補順逆異論

玉機疝氣門曰

血因寒泣則爲瘕
氣因寒聚則爲疝氣

可以温藥逐之
不可以温藥補之

一金瘡撲損類先後異療之説

玉機四十三曰

金瘡撲損

先
- 逐瘀血
- 通經
- 和血
- 止痛

後
- 調氣
- 養血
- 補胃氣

一男女氣病

正傳氣門曰

大抵
- 男子屬陽氣易散
- 女子屬陰氣多鬱

是以
男子之氣病常少
女人之氣病常多

一中寒宜禁

正傳曰
受寒必傷腎
寒必傷榮血
徒知温腎不知温血未全
火ハ熱乾水ハ流温
宜温散

温
腎鬱寒薑附
血散寒桂歸

心法曰
當補陽消陰
煖丹田固眞氣
丹田ハ臍下三寸
不可妄下妄吐

一四濕辨治諸証通例

心法曰

- 上
- 下
- 外
- 内

濕

- 蒼朮
- 升提
- 表散
- 淡滲

一欬嗽新久辨治捷例　雜著曰

欬嗽

- 新病
  - 風寒　散之
  - 火　清之
  - 濕　泄之
- 久病
  - 氣虛　補氣
  - 血虛　補血
  - 鬱　開鬱

一治欬先順痰氣之説　正傳曰

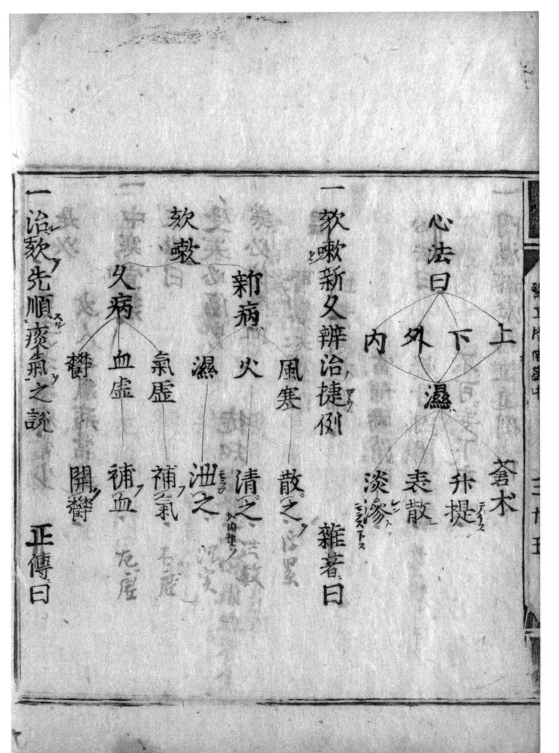

夫
欲治欬嗽以治痰為先
欲治痰必以順氣為主

一嘔吐辨經　正傳曰

嘔ハ　陽明多血多氣故有聲有物氣血俱病
吐者　太陽多血少氣故有物無聲血病
噦　少陽多氣少血故有聲無物氣病

一淋証在氣在血弁例　正傳曰

如
渇而小便不利熱在上焦氣分肺
不渇而小便不利熱在下焦血分腎
主之

一補虚宜禁之味　玉機曰

内傷之治法以
甘温補中升陽
甘寒瀉其火
則愈

大忌苦寒瀉胃土耳

一晝夜熱證陰陽辨例　玉機曰

晝則發熱
夜則安靜　是陽氣自旺於陽分

一晝則安靜
夜則發熱煩躁　是陽氣下陷入陰中名
曰熱入血室

一晝夜俱發熱煩躁是重陽無陰也　當峻補其陰

一三焦氣血之瀉熱方劑　寶鑑曰

一上焦熱用涼膈散洗心散之類

一中焦熱用調胃承氣瀉脾散之類

一下焦熱用大承氣滋腎丸之類

三焦俱熱用三黃丸黃連解毒湯之類

氣分熱用柴胡飲子白虎湯之類

血分熱用桃仁承氣清涼四順飲之類

辨疑曰

上焦 下焦 氣熱 酒炒芩連 鹽炒知栢

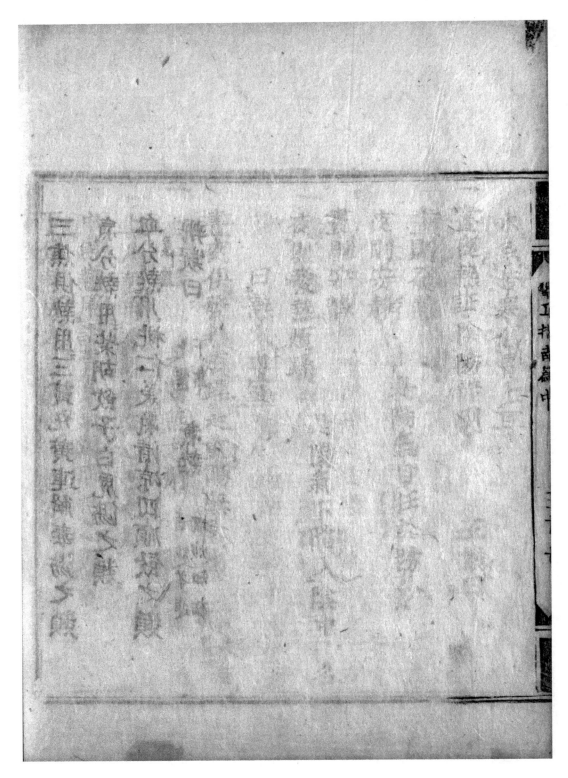

## ○治法指南篇十一

一 氣證不一。當辨其因。 辨疑曰

古今療七情之病。而無結散之分。

喜樂恐驚耗散正氣。

怒憂悲思欝結邪氣。

正氣 邪氣 故 散者益之 結者行之

正傳氣門曰脉 消少血多氣 濇多血少氣

怒 喜 悲 恐 驚 憂 則氣 上 緩 消 下 亂 沉

思 寒 炅 勞
結 收 泄 耗

一息不運則機緘窮
一毫不續則穹壤判

不善攝生者
五志之火無時不起
五味之偏無日不傷
是

以釀成
膠痰固積留滯於六腑
鬱火邪氣充塞乎三焦
使氣

血失其常候
清陽不升
濁陰不降

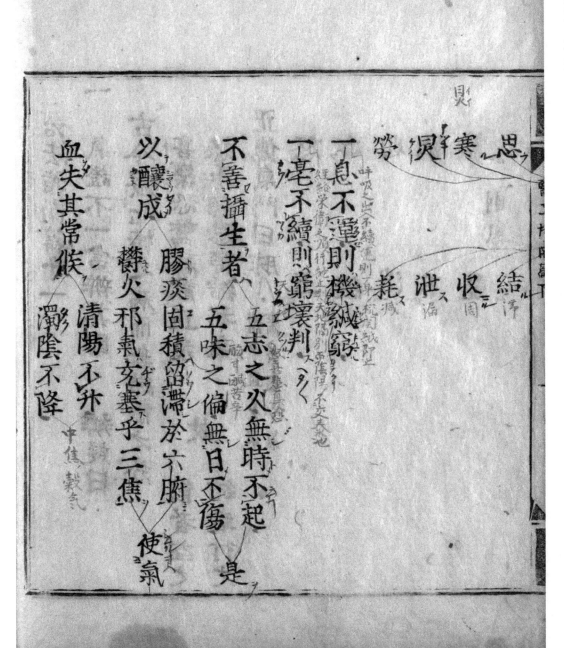

一脚氣治例　正傳曰

大抵病因有内外之殊耳

治法無表裏之異

二朮以治其濕　知柏條芩去熱

歸芍生地調血　木瓜檳榔行氣

羌獨以利關節散風濕

通己膝引藥下行及消腫

大便秘加桃仁

小便澁倍牛膝

肥人必加痰藥

經曰有道以來有道以去

東垣曰濕淫所勝治以苦温

以苦辛發之透關節勝濕爲佐

苦寒泄之流濕清熱爲臣

忌茸草菸萊生冷油膩魚腥葷物

一治積變法　正傳積聚門曰

當察其所痛以知其應有餘不足

可補則補可瀉則瀉

寒者熱之　熱者寒之上同

結者散之　客者除之

留者行之　堅者削之

按之　摩之上同

軟以鹹之　苦以泄之

全其真氣而補益之

隨其所利而行散之

節飲食　愼起居

和其中外　可使必已

不然從以大毒之劑攻之

丹谿　鹹以軟之　堅以削之　行氣　開痰　爲主

一　治痢大法諸證凡例　正傳痢門曰

行血則便膿自愈

和氣則後重自除

腹痛則宜和

身重則除濕

兵法云 避其來銳（初發病勢劇則從之） 擊其惰歸（邪氣衰則逆之）

痢 赤屬血自小腸 白屬氣自大腸 來（須行榮血）（流通滯氣）

治痢必用 寒以勝熱 苦以燥濕 微加辛熱爲發散開通之用

初下痢腹痛 用溫藥薑桂之屬（不忌辛散） 切不可驟用參朮（忌溫補）

腹痛白芍甘草爲君惡 寒加桂 熱加梔

久痢體虛氣弱滑泄用澁藥訶蔻之類然須

以陳皮為佐恐太溢亦能作疼
虚坐努責為無血倍用歸芍地桃佐之陳皮
和之血生自安

一腫脹捷要配劑通法

正傳脹門曰

治腫脹大法宜
- 補中
- 行滋
- 利小便

以
- 參朮為君
- 橘苓為臣
- 苓門為使以制肝木

少加厚朴以消腹脹
氣不運加木香木通

氣下陷加升柴提之
血虛加補血藥
痰盛加利痰藥
隨証加減用之無不効

東垣曰宜以辛散之以苦瀉之以淡滲利之使上下分消其

濕經謂開鬼門潔净府也

丹溪曰肥人脹必用薑製厚朴
色白人脹氣虛參术苓
瘦人脹熱連芩梔朴

蓄血脹加桃紅

正傳勞極門曰

一勞極因証

陰氣

静則神藏

躁則消亡

欲養陰而延生者

心神恬静而勿躁擾

飲食適中而無過傷

嗜欲愼節

起居有時

七情六欲之火時動乎中

飲食勞倦之過屢傷乎體

漸而至眞水

枯竭陰火上炎發蒸熱或寒熱進退似瘧非

瘧

發熱不休形體瘦甚真氣已脫雖倉扁復生不能救其萬一

一耳病辨治諸證通例　正傳耳門曰

或
嗜慾無節
勞役過度
中年之後
大病之餘
一水不能勝二火

腎水枯涸
陰火上炎
故耳痒耳鳴

宜
瀉南方之火
補北方之水

丹溪曰補陰降火四物加黃栢主之

一汗證因治諸治速例　正傳汗門曰

心君火主熱
脾濕土主濕
濕熱相搏爲汗乃惣司耳

各臟皆能令人出汗

經曰
飲食飽甚汗出於胃
驚而奪精汗出於心
持重遠行汗出於腎
疾走恐懼汗出於肝
搖體勞苦汗出於脾

自汗屬陽虛胃氣
盜汗屬陰虛榮血
也
補陽謂衛
補陰降火

脉大而虛浮而軟者汗

在寸爲自汗　尺爲盜汗

一疫癘諸徑　正傳曰

疫氣之發　大則流行天下　次則一方　次則一鄉　次則偏著一家　悉由氣運鬱發

切不可作傷寒正治而大汗大下但當中治

用少陽陽明藥　少陽小柴胡　陽明升麻葛根　湯

看脉証二方加減治之

大頭病　丹溪曰濕熱在高巔主羌活酒炒芩

酒蒸大黃加減

東垣曰陽明熱甚少陽相火爲之濕

熱爲腫　木盛爲痛

邪見于頭多在耳前不宜藥速速則上熱未除中寒復生

隨經處治　大首腫陽明　耳前後腫痛少陽

一癰疽疼痛弁治　精義曰

夫寒熱虛實皆能爲痛世俗皆謂乳没珍貴之藥殊不知臨病制宜

熱毒痛以寒涼折其熱痛自止

寒邪痛以温熱熨其寒痛自除

因風而痛除其風

因濕而痛導其濕

燥而痛潤之　塞而痛通之

虛而痛補之　實而痛瀉之

膿潰閉者開之惡肉侵潰引之
陰陽下和調之經絡秘澁利之

一癰疽膿潰前後加減　精義曰
虛而頭痛於托裏藥內加五味子
恍惚不寧加參苓
虛而發熱加地黃栝蔞根
往來寒熱并潮熱加柴胡地骨皮
渴不止加知母赤小豆
大便不通加大黃芒硝
小便不通加木通燈草
虛煩加枸杞子天門冬
多痰加半夏陳皮

膿多加歸芎
痛甚加芎乳
肌肉遲生加白歛官桂
心驚怯加辰砂
四肢厥逆加附子生姜
有風邪加獨活防風
口自瞤動加細辛羌活
愚雖不才自幼及老治瘡常依此法取効如
神

一婦人諸証辨治大抵百病皆自心生
正傳婦人門曰

心出肝納血
肺出腎納氣吸

蓋婦人百病皆自心生如五志之火一起則

心火亦從而熾

夫經閉不通經漏不止之証先因心事不足由是心血虧耗故乏血以歸肝而出納之用已竭肝腎之相火挾心火之勢亦從而相扇所以月水銷經妄行無時泛溢不早治至崩中化爲白濁白淫血枯發熱勞極不治雖妙手莫能爲

經血不通之辨治

夫經不通或因

墮胎及多產傷血

久潮熱銷血

久盜汗耗血

之類

飲食少進不生血
痢疾失血
宜之劑隨證用之
或心氣停結故血閉不行宜調心氣通心經
血生經行矣
或肥人軀脂滿經閉者痰藥加芎連禁地黃
泥痰也
血為氣之配
成塊氣之凝
將行痛氣之滯
行後痛氣血虛
今皆為冷行風

錯綜妄行氣之亂

温熱禍不旋踵

紫色氣之熱

黑色熱之甚

經水常過期而來

瘦人血少四物倍歸地
加芪茸少佐以桃紅爲
生血之引用

肥人氣虛挾痰阻升降
四物去地黄加參芪芎
苓半橘香附

帶下濕熱

白氣

赤血

姙婦宜禁

性 宜靜 不宜躁 去七情寧六神

體 宜動 不宜安 微運動而不可甚動

味 宜涼 以清涼養臟 不宜熱 以溫熱不可生[illegible]

衣 宜溫 不宜寒 不凝榮血也衣當[illegible]

丹溪曰 產前當清熱養血爲主 產後宜大補氣血爲要 補氣養血不可及甚熱 有雜証以末治之

產後陰虛發熱 日間明了 暮發寒熱

四物 去芎 加柴

產後子腸不收八物加升麻防風以酒炒黃芪爲君 補氣扶升提

一小兒諸証辨治大抵　正傳小兒門曰

小兒最費調治蓋以難問証難察脉耳

且臟腑脆嫩而峻寒峻熱之藥俱不可輕用

夫孺子在襁褓內無七情六欲之交戰外無大風大寒之相襲

若是疾繁多與考其証大半胎毒小半傷食也

經曰數食肥令人內熱數食甘令人中滿其病因肥甘所

致名曰疳

○冷熱疳用木香丸胡黃連丸

○痘疹虛實順逆弁例

宜發越
不宜欝滯
宜紅活凸綻
不宜紫黒陥伏
吐瀉不能食　裏虛
不吐瀉能食　裏實
灰白色陥頂多汗表虛
紅活凸綻無汗表實
諸痛爲實
諸痒爲虛
裏實而補則結壅毒
表實而補表則潰爛不結痂

表實裏虛陷伏倒靨
裏實表虛發慢收遲
妄汗則榮衛虛開泄瘡爛邪乘間變證多
妄下則內氣虛毒不能出而反入由是土
不勝水變黑歸腎振寒耳尻反熱目合肚
脹瘡陷十無一生
痘初出時或未出時辰砂未半錢蜜水調
服 多者可必 小者可無
黑白色痘者 血熱主涼血 氣虛主補氣
凡黑陷甚者用無病小兒糞燒存性蜜水調
服
痒塌脉 有力氣壯大便結寒涼通之 無力氣怯用實表藥加涼血

痘
乾退火荊荷升葛
濕瀉濕白芷防風

消息二便
大便秘結內煩不柴加枳殼
小便赤澁生地門芩茵通瞿翹
芎紫

壞瘡三證
一內虛泄瀉
二外傷風寒
三變黑歸腎

形氣辨例
瘡出聲不變形病也
瘡未出聲變氣病也
瘡出聲不出形氣俱病
自汗蔵聲不出桔

十奇散 [illegible]參[illegible]二[illegible]
丹桔各五分 圭三分芎
朴甘芷各一分

肺氣不足三證

瘡頂陷塌
不綻肥

十奇散

心血不足三証

灰白色
根窠不紅
不光澤

芎歸湯加
芍紅紫良

表裏俱

實瘡
難出
易靨

虛瘡
易出
難靨

不藥而愈六証

瘡脚稀少
根窠紅綻
不瀉不渴
乳食不減
四肢温和

不治證

痒塌寒戰咬牙渴甚
身無大熱

痘紫黑而喘喝不寧

灰白色陷頂腹脹

頭溫足冷悶亂飲水

氣促瀉渴

疹證陰陽

赤 白 疹

陽過清涼而消

陰過溫暖而滅

毒氣流於脾經則壅發於四肢手腕膝臏腫痛宜大力子荊芥防風茸草

亂嬰兼治乳母

清和氣血

節調飲食

以通氣調

一歳ヨリ五六歳ニ至テ曰嬰孩
七歳ニ至テ曰齔
九歳ヨリ十三歳ニ至テ曰髫
十五歳ヨリ二十歳ニ至テ曰童

榮之劑釀其乱瘴心肥滿無陷伏

童非切脉審表裏虛實汗下之不實不虛但保其冲和脾氣流暢則肺金藉毋之助速於成而無倒塌之患

壯盛膚厚頸爲汗解

三法
大便結通之
小便澁利之

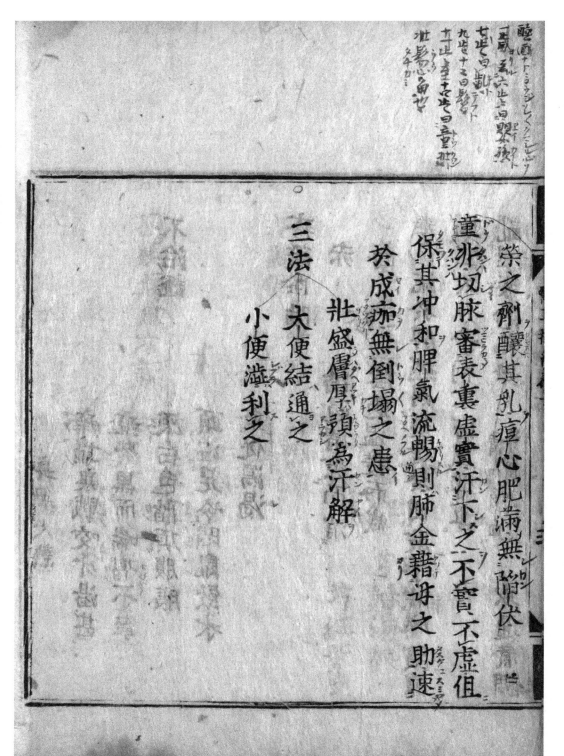

七神ハ魂魄精神志意
為ス胃ニミア精ト志ト
脾ニミア意ト氣ト

# 脾胃指南篇十二

一　血生脉旺之説　　脾胃論曰

夫心之神眞氣之別名得血則生血生則脉旺脉者神之舍若心生凝滯七神離形而脉中唯有火矣

善治此病者惟在調和脾胃使心無凝滯

或

生懽忻

逢喜事

天氣暄和居温和之處

食滋味

眼前見欲愛事

則恵然如無病矣蓋胃中元氣得舒伸故也

一　火勝則少氣之説　　脾胃論曰

脾胃虚而火勝則必少氣蓋不能衛護皮毛
通貫上焦之氣而短少也

陰分血虧
陽分氣削

陰陽之分周身血氣俱必不能寒熱故寒熱
也

一脾虚證狀　脾胃論曰
食入則困倦精神昏冒而欲睡者脾虧弱也

一内傷証治之大抵　蘭室秘藏
夫喜怒不節起居不時皆勞損其氣氣衰則火
一旺四肢困熱無氣以動懶言喘乏自汗心煩
不安

當病之時宜安心靜坐以養其氣

以
苦寒瀉其熱火
酸味收其散氣
苦温補其中氣

一不能寒熱之至理

靈樞曰

夫
氣虛不能寒
血虛不能熱
血氣俱虛不能寒熱

胃虛不能上行則肺氣失養少氣故不能寒
也

陰陽血氣俱少不能寒熱也

秘藏曰

勞病脉浮大手足煩熱
春夏劇時助邪
秋冬瘥時勝邪
也

一養中猶貴無偏　脾胃論曰

經曰人以水穀爲本故人絕水穀則死

歷觀諸篇元氣之充足皆由脾胃之氣無所傷而後能滋養元氣

若胃氣之本弱飲食自倍則脾胃之氣傷而元氣亦不能充而諸病之所由生也

一脾胃盛衰　脾胃論曰

胃中元氣盛則能食而不傷過時而不飢

或

少食而肥雖肥而四肢不舉蓋脾實而邪氣盛也

善食而瘦胃伏火邪於氣分則能食脾虛則肌肉削即食㑊也

邪火能殺穀

一内傷兩辨　脾胃論曰
飲食損胃
勞倦傷脾
脾胃虛則火邪乘之而生大熱

一水穀是榮衛本　脾胃論曰
仲景曰人受氣於水穀以養神水穀盡而
神去　故云
安穀則昌
絕穀則亡
水去則榮散
穀消則衛亡
榮散衛亡神無所依
又云
水入於經其血乃成
穀入於胃脉道乃行

一濕邪太過則眞水竭乏也　脾胃論曰

夫脾胃虛弱遇六七月間河漲霖雨諸物皆潤人汗沾衣身重短氣甚則四肢痿軟行步不正脚欹眼黑欲倒是腎水膀胱俱竭之狀也當急救之滋肺氣以補水之上源

一事淡薄少思慾之訓　脾胃論曰

安於淡薄少思寡欲省語以養氣不妄作勞以養形虛心以維神壽夭得失安之於數血氣自和邪無所客苟能持之亦庶幾於道可謂得其真趣矣

一春升夏浮之說　脾胃論曰

濕熱相合陽氣日以虛陽氣虛則不能上升

而脾胃之氣下流併於腎肝是有秋冬無春
夏春主升夏主浮在人則肝心應之

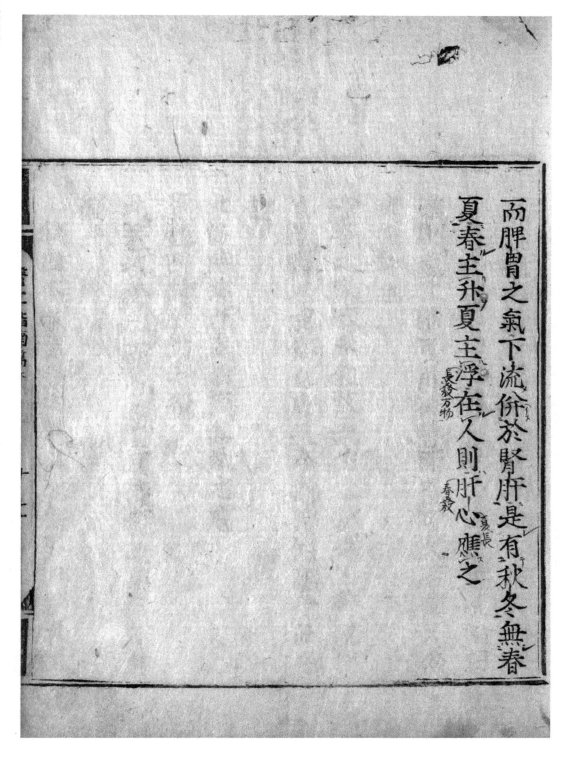

○戒愼指南篇十三

一戒無病而好補之誤　心洪鍾乳論曰藥則氣之偏可用於蹔而不可久石藥又偏之甚者也膏粱之家惑服食致長生之説以石藥體重氣厚習以成俗自唐及今斯民何辜受此禍哉

一世俗恃藥力妄耗損眞氣之戒

寶鑑四解酲湯方後

此蓋不得已而用之豈可恃賴此藥日日飲酒乎

私曰俗服臭陽之劑以至房勞恃枳朮丸

以及飽食之類不可勝計慎之慎之

一諸治忌傷藥　雜著曰

食從即藥

或　藥從即睡　者謂之傷藥

服藥太多

一偏執温補之戒　格致餘論曰

局方久行素問不講

抱疾　者皆喜　温　寒

談醫　補　惡　解利

解外感鬱結

二腸澁滯通利

向導

古人用藥有　監制

反佐　不專務於温補耳

後

因用

引用

一相火貴少嫌壯之說　正傳或問

經曰壯火之氣衰少火之氣壯壯火食氣氣食少火壯火散氣少火生氣何謂也曰造化勝復之理少而壯壯而衰衰而復生循環無端

壯火食氣元氣見食於壯火

氣食少火元氣見助於少火

壯火散氣耗散元氣

少火生氣滋生元氣

蓋不可無亦可少而不可壯

少則滋助乎眞陰

壯則燒爍乎元氣

玉機反胃門曰

王氷曰食不得入是有火也食入反出是無火也

一病藥升降不順辨例

內傷元氣胃脘之陽不能升心肺之氣陷入于中焦故

玉機虛損門曰

用補中益氣升提之

若用之於氣之降者固獲効氣之升者反增病升降全逆也

一鍼灸不應之解說　寶鑑二

九用鍼者氣不至而不効灸之亦不發本氣空虛不能作膿失

其所養故也

更加不愼邪氣加之病必不退矣

一 灸藥戒愼虚熱得効之例　寶鑑五

壯男發熱肉瘦肢倦嗜卧盗汗大便溏多腸鳴可思飲食舌不知味懶語時來時去半載其脉浮數按之無力叔和云臓中積冷榮中熱欲得生精要補虚

灸

先灸中脘使清氣上行肥腠理

又灸氣海生發元氣榮百脉長肌肉

又灸三里助胃氣撤上熱使不下於陰分

藥

以甘寒瀉熱火

以甘温養中氣

食以粳米羊肉之類固其胃氣

中央穀

中央曰脾胃甘性温者

慎語言

慎戒以

節飲食

懲忿

窒欲

病氣日減數月氣得平復逮二年肥盛位常

倍

一醫林集要曰人法天地之説

陰陽易之

虚實

天之大氣也

日實

月缺

陰陽易虚

陽易實

故錢氏

肝有瀉

無補

腎有補

無瀉

難經

東方實西方虛

瀉南方補北方

格致餘論曰至張李諸老始發明人之一身陰
不足而陽有餘

一偏不可執運氣鈐法　正傳或問

上古聖人仰觀天文俯察地理十干以配五
運十二支以合六氣天之高也星辰之遠也
苟求其故千歲之日至可坐致也
今草茅野人以人之年命合病日而為運氣
鈐法取仲景之方治之殺人多矣知理君子
幸勿蹈其覆轍

一禁呪解惑　正傳或問

禁呪一科立教於龍樹居士借呪語以解惑
安神而已為移精變氣之術可以治小病今流

爲師巫爲降童或人民邪術惟邪人用之知理者勿用也

一鬼胎解惑　　正傳或問

或問婦人懷鬼胎者何歟曰晝之所思爲夜之所夢思想無窮所願不遂爲白淫白濁流於子宮結爲鬼胎胷腹脹滿若胎孕耳非僞胎而何嘗一女薄暮遊廟見神心動是夕夢與之交腹漸大而若孕滑伯仁診之曰此鬼胎也其母語其由與破血墜胎之藥下如科斗魚自二斗許遂安此有是事而實無是理

一豈土木交精而成胎耶噫非神之惑女乃女之惑神耳

一乳母之慎　格致餘論曰

飲食下咽乳是使通　病氣到乳汁必凝

情欲動中乳脉便應

滯兒得其乳疾病立至　不吐則瀉　不瘡則熱

一中虛大禁　脾胃論曰

禁淡滲之飲食

禁濕麪

脾胃虛之人

忌猪澤琥苓滑通燈心

忌大鹹　助火邪　瀉腎水真陰

大辛五辣皆傷元氣

一諸治斟酌　脾胃論曰

弦ハ肝ノ大過也 平白月數ハ脾胃ノ大過ナリ

汗多者禁利小便
小便多者禁發汗
咽痛禁發汗利小便
大便快利不得更利
大便秘澁當禁燥藥
脉如
強禁平胃散
緩禁黃芪建中湯
虛之調之

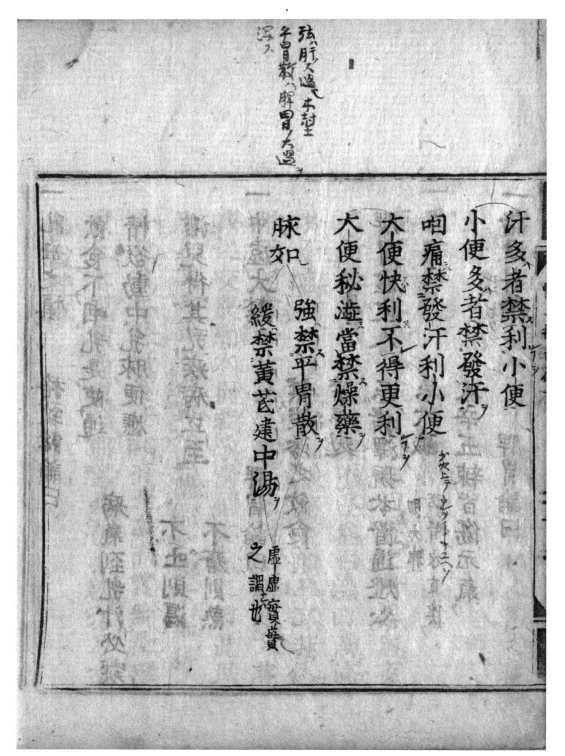

一　○療養指南篇十四

五病來由　衍義序曰

夫未聞道者放逸其心逆於生樂

以精神徇智巧
以憂畏徇得失
以勞苦徇禮節
以身世徇財利

四徇不置心爲之疾矣

極力勞形
躁暴氣逆
當風縱酒
食嗜辛鹹

肝爲之病矣

飲食生冷
温涼失度
久坐久臥
大飽太飢

脾為之病矣

呼叫過常
辯爭陪答
冒犯寒暄
恣食鹹苦

肺為之病矣

久坐濕地
強力入水
縱慾勞形
三田漏溢

腎為之病矣

五病既作故未老而羸未羸而病病至則重
重則必斃

一養生有内外之異
衍義序曰夫善養生者養内不善養生者養外
養外者實外以充快悦慄貪慾恣情爲務殊
不知外實則内虚
養内者實内使臟腑安和三焦各守其位飮
食常適其宜
賢者造形而悟
愚者臨病不知

一苦因　同
人之智恵淺陋不能勝其貪欲故佛書曰諸（法華經ノ譬喩品）

苦所因貪欲爲本若滅貪欲何所依止是知
貪欲不滅苦亦不滅貪欲滅苦亦滅

一保養通鑑　同

保養之義其理萬計約而言之其術有三
一養神　二惜氣　三隄疾
忘情去智恬澹虛無離事全眞内外無寄
則神不外耗境不内惑
此養神也　眞一不雜則神自寧矣
抱一元之本根固歸精之眞氣三焦定位六
賊忘形識界既空大同斯契則氣自定矣此
惜氣也
飲食適時温涼合度出處無犯於八邪寤寐

不可以勉強則身自安矣此限疾也

二三者甚易行然人自以謂難行而不肯行

一臟氣有常分之説　同

攝養之道莫若守中守中則無過與不及之害不適其性而強云爲遂強勉即病生五臟受氣蓋有常分用之過耗是以病生

一以醫術列天官　本草序曰

成周六典列醫師於天官蓋仁民愛物之意寓之故聖人有不能後也

一用藥　唐本序曰

竊以動植形生因方殊性春秋節變感氣殊功

雖其本土則質同而効異
非於採摘乃物是而時非
一名實既爽
寒温多謬
用之於療其弊已甚
施之君父逆莫大焉
一醫宜得其節之説
行義序曰此書乃上古聖賢具生知之智故
能弁天下品物之性味合世人疾病之所
宜
陶氏序曰古之所謂良醫者蓋善以意量得
其節也醫者意也諺曰俗無良醫枉死者半

拙醫療病不如不療

一 醫審四知主專旨信 本草序例曰

非明醫聽聲察色至乎診脉孰能知未病之病乎且未病之人亦無肯自療非但識悟之爲難亦乃信受之弗易

一 醫宜權顯幽之說　同

虚構聲称多納金帛非惟在顯宜責固將居幽貽譏矣

論語曰人而無恒不可以作巫醫明此二法不可以權飾妄造

一 醫宜自採藥　同

諸藥非能自採不復具論其事

象醫都不識藥惟聽市人市人又不辨究皆委採送之家採送之家傳習造作眞僞好惡並皆莫測

一方醫有偏用之說　同

醫人之療亦隨方之能若易地而居即致乖舛矣豈前賢之偏有所好

故古方或

一醫術宜深愼之說　本草圖經序曰

夫人之形易見善用者能以其所以殺者生人藥之性難窮不善用者反以其所以生者殺人

一病人聽庸醫強治世間甚多之說　衍義序曰

病人有既不洞曉醫藥復自行臆度如此則

九死一生

或醫人未識其病或以財勢所迫占奪強治

世間如此之事甚多故該舉以隄惑然

一病藥難執一之說　同

夫人有貴賤少長病當别論

病有新久虚實理當别藥

蓋人心如面各各不同惟其心不同臟腑亦

異臟腑既異乃以一藥治衆人之病其可得

乎

一宜守質素　唐李亭曰

鬱宄樓巢感物之情蓋寡

乾金採木遂欲之道方

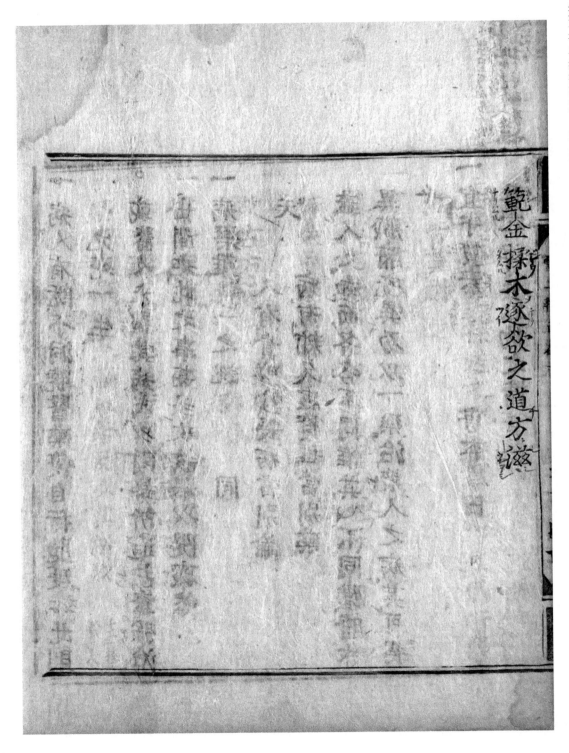

# 攝養指南篇十五

養生五難　雜著三曰

一 名利不去

喜怒不除

聲色不去

依味不絕

神慮精散

為

一　二　三　四　五

難

五者無於胷中則

不祈善而有福

不求壽而自延

也

一 順天地氣逆四時性之說

五機十一暑門曰

升降浮沉則順之

寒熱温涼則逆之

一宜節飲食　格致餘論曰

夫奉養縱口固快一時積久爲害故（多不如少少必不如絕）

一用味善惡　格致餘論曰

安於（中和／偏厚）之味者（心之收火之降／欲之縱火之勝）也

一五禁　本草集要曰

鹹走血　血病毋多食鹹（鹹耗液故渴生）

苦走骨　骨病毋多食苦（苦乾津）

辛走氣　氣虛毋多食辛（辛散勝氣）

酸走筋　筋病毋多食酸（酸牽筋縮）

甘走肉　肉滿毋多食甘（甘滯肉氣）

是知謹和五味骨正筋柔氣血以流腠理以

密長有天命矣

一酒食慎例

心法曰酒性喜升氣必隨之
痰鬱於上
溺濇於下
肺受賊邪

寶鑑曰如能節滿意之食省爵之味常不至於飽物皆為益神藏内守榮衛外固邪無犯疾不作

一飲食
衣服
俱惡邪僻　蘭室秘藏

鍼經曰
胃惡熱而喜清冷
大腸惡清冷而喜熱
二者不和何以調之岐伯曰調此者食飲衣服亦欲適寒温

衣服　寒無凄愴　暑無汗出

戰慄無之　氣交變論注云凄愴寒也

飲食　熱無灼灼　寒無凄凄

欲寒熱適中之謂也

寒温中適故氣將乃不致邪僻也是必有因

用豈可用俱寒俱熱之藥令卒致損乎

一彼我宜審服食性理　雜著曰

夫欲服食當尋性理所宜審冷暖之適不可

見彼得力我便服之

一常補陰陽宜禁偏劑　寶鑑一

陽劑剛勝積爲消狂癰疽之屬天癸竭而

榮涸

陰劑柔勝積爲洞泄寒中之屬眞火微而衛
散
醫方選要諸虚門固眞飮子方後曰
服餌不備五味久則腑臟偏傾而反至疾病
矣
若固本圓瓊玉膏雖本於滋陰胃弱者必
反食少
若養氣丹安腎圓雖本於助陽久則積温
成熱必耗眞陰
此方藥備五味合氣沖和無寒熱偏倂
一遠欲明教　脾胃論
名與身孰親　身與貨孰多

以隋侯之珠彈千仞之雀世必笑之何取之輕而棄之重耶

一 神真玄理　　醫林老人門

通玄集曰其補真妙理只要心頭無事内外俱忘一齊放下

格致餘論曰不見所欲使心不亂

寶鑑曰　精神有限　嗜欲無窮　一失難復

衍義序曰　神不可大用大用即竭　形不可大勞大勞則斃

以一心對無窮之事不亦勞乎

心法曰　抑怒以養陰　遏喜以全陽

○經曰　若消息得所則長生不死
恣其情欲則命同於朝露

○纂要曰　淡食以養胃
内觀以養神　則水生火降

○雜著曰
才所不逮強思之傷也
力所不勝弦擧之傷也
沉醉嘔吐
飽食即卧　傷也
冬不欲極温
夏不欲窮涼
目不極視　耳不極聴
坐不久處　立不至疲
卧不至懻　行不疾歩

不欲甚勞　不欲甚佚

不欲數數沐浴

一積精全神

上古天真論曰

去世離俗積精全神

注曰聖人擧事行止雖常在時俗之間然

其見爲則與時俗有異爾

聖人　爲無爲　事無事

莊子曰無爲一向性命不全者未之有也

一快心之戒　寶鑑曰

且天下之理有甚快於吾心者其末必有傷

求無傷於終者則初無望其快於吾心

一陰陽貴和

○雜著三曰男子不可無女婦人不可無男矣

鰥寡則意動意動則神勞神勞則損壽

○玉機婦人門曰寡居慾心萌而不遂陰陽交

爭乍寒乍熱全類瘦久則爲勞

○生氣通天論曰凡陰陽之要陽密乃固兩者

不和若春無秋若冬無夏因而和之是謂聖

度兩謂陰陽和謂交會交會之要在陽密不妄泄亦生氣強固而能久長

○雜著曰人少年時不知道知道亦不能信行

之至老乃知道便以晩矣

○格致餘論曰冬不藏精者春必病温

一四時攝養

内經曰 春夏奉以生長之道
秋冬奉以收藏之理

雜著曰夏月不可當風取凉至晚披襟曳杖逍遥散步與二三知心友林下談道可消一日之暑

一鳥魚凡例 附飴糖附油

心法曰雞性補故助濕中之火病邪得之而劇非雞而已夫魚肉之類皆能助病者也

鯽魚諸魚皆屬火鯽魚屬土能入陽明實腸胃得之多者未嘗不起火也戒之諸魚之性無德之倫故能動火

飴成於火大發濕中之熱

糖多食能生胃中之火

香油炒芝麻取之　食之養不致病苦　煎煉食之與火無黄　戒之

一食前食後服藥用意　李草亭曰

病在　胃膈以上者先食後服藥　心腹以下者先服藥而後食　四肢血脉宜空腹而在旦　骨髓宜飽滿而在夜

正傳痓門括蔞桂枝湯方後曰三服連飮取微汗如汗不出少頃以熱粥湯發之

同痔門秦艽蒼朮湯方後曰空心熱服待少時以美膳壓之不犯胃氣也

異

一補胃建中飲食行動之通法

正傳内傷門升陽益胃湯方後曰服藥後方喜食數日不可飽食須滋味之食或美食助其藥力益升浮之氣而滋其胃氣慎不可淡食以損藥力而助邪氣之降沉也可以少役形體使胃氣與藥力得轉運升發也慎毋大勞役使氣復傷

同調中益氣湯方後曰空心溫服寧心絕思藥必神効

15
6

海外漢文古醫籍精選叢書·第三輯

# 斷毒論

〔日〕橋本伯壽　撰

# 内容提要

《斷毒論》是日本江户時代（一六〇三—一八六七）的臨證類傳染病專科著作，由醫家橋本伯壽所撰，成書於文化六年（一八〇九）。作者主要針對痘、麻、黴、疥等四種傳染性疾病的病名沿革、流行病史、發病之源、傳染途徑、臨床表現和防治對策等問題，進行了詳細考證和全面論述，醫學史料豐富，言之有理，論之有據，具有較高的醫史文獻研究價值和臨床指導意義。書中提出用隔離之法阻斷傳染源，以此預防傳染病的觀點在當時具有先進性和科學性，對日本防治流行性疾病産生了一定的影響。

## 一　作者與成書

《斷毒論》各卷之首均題作「甲斐橋本德伯壽著」，扉葉署名「三巴先生著」，因據此判斷本書撰者爲橋本伯壽（德、三巴）。

橋本伯壽（？—一八三一），名德，字伯壽，號三巴、節齋，通稱保節，出生於甲斐（今屬日本山梨縣），爲江户時代後期醫師，出生於醫學世家，家中自曾祖以來均以醫爲業。伯壽先習漢方，後游學長崎，師從蘭醫吉雄耕牛、蘭學者志築忠雄，隨二人學習蘭醫、蘭學。其著作除《斷毒論》外，尚有《國字斷毒論》《翻譯斷毒論》《省方類鑑》《節齋醫話》《金瘡口授》等。

在學習蘭醫的歸途之中，橋本伯壽親身體驗了嚴格隔離痘病患者取得的良好效果，故據其實際所見提倡采用隔離之法預防傳染病，將古今疫病之論與自己的獨到見解凝練成書，於文化六年（一八〇九）撰著《斷毒論》二卷。「斷」有判定、裁斷之義；「毒」爲邪毒，在此主要指痘、麻、黴、疥四種傳染性疾病；「論」是分析闡明事物道理的文章、理論或言論，也可以理解爲有系統、有條理的主張、學説。綜合來看，本書名爲「斷毒論」，意爲判定、裁斷邪毒所致疾病的論説，具體而言，是分析、判斷、闡發邪毒所致痘、麻、黴、疥四種傳染性疾病的沿革、名實、病源、病因、症狀、防治等内容的學説。

## 二　主要内容

《斷毒論》分爲上、下兩卷，上卷之首立總論一則，引用醫經之文，依天人整體觀，闡發對「邪毒」的認識。文中分内、外之因，論痘、麻、黴、疥爲外因有形之毒，抨擊「俗習之弊」與「草醫輕薄之徒」的言行，并陳述編撰此書的初衷，欲「發多年之蘊積」，昭聖人之言，破謬妄之説，「祛區區之方論，撥世人之蒙昧……使萬世無疆之人，得躋於壽域矣」，并希望由所述「傳染有形之毒，推擴之於萬病……則知萬病之源，不惑古今之謬説耳」。在總論之後，上卷述痘源、麻源、黴源、疥源，下卷論方土异氣、形質、或難、内外、天禀毒氣、有毒無毒、毒氣和不和、定分、一生一患、諸家病源、痘麻無臓腑之别、痘麻鬧氣運、傳染非常、同氣感應、預防、方證、避痘、避麻等。

在上卷之中，「痘源」「麻源」二篇，首先指明痘、麻二病的病源，「古昔無有焉，其初异域之沴氣，合凑於人身，以成一種之异病」，皆從外傳至日本本土，其傳染性强、傳播範圍廣，「舟車之所通，人迹之所届，傳染周流，殘害天下古今之生民者也」；其次引用并考證歷代醫學和非醫學文獻中對痘麻病症狀、和漢病名、日本本土流行傳染情况等的記載；最後提出作者對痘、麻病的個人見解，認爲此病爲「沴氣有形之傳染，非難避疾，避則必免，不避則冒」。「黴源」篇，認爲黴之病源與痘、麻相同，古時無黴病，爲异域沴氣自西洋經中國廣東傳來；考證黴病起源、諸多名稱，駁斥諸説「不明沴氣傳染之病源」；詳述黴病起病、發展、預後，强調避其沴氣可預防傳染此病。「疥源」篇，詳細考證疥病名稱由來、古時「疥」所指不同疾病的發展演變；强調古今疥病同名而异病；總結今時疥病爲沴氣傳染所致，自外傳入日本，通稱肥前瘡，可避而防之。

下卷的「方土异氣」篇，論述沴氣爲方土异氣，其爲毒致病，「先在其土而體於人」；不同水土地氣所生沴氣有异，其傳染途徑不僅限於腠理，也可經口鼻感染；分析了海外傳入日本的异土毒氣的古代文獻記載；認爲日本雖「得天地之至精」，但因人稟天地之氣故亦可感之，故「近則染，避則免」。「形質」篇，詳論疾病形質與致病沴氣的關繫；雖沴氣種類繁多，但「萬病之形質有區别，以客行於氣中」，觀察已傳染發病的形質，判斷所感受沴氣的類型，進而可定名稱，分治法。「或難」篇，以問難和對答的形式闡述了關於「形質從來區别於氣中」「黴毒潜伏爲癇」，异於「冬傷於寒，春必病温」等若干問題。「内外」篇，厘清内病外因之間的關繫，尤其是由沴氣所致之疾，以外因沴氣觸冒爲主。「天稟毒氣」篇，闡發人體先天稟賦之中已具邪毒之氣，後天復又觸冒天地之沴氣，二者感應故發病。「有毒無毒」篇，以感漆過敏爲例，論證人與人之間先天所稟有毒無毒之氣不同，故壽夭疾病亦有差别；説明今人患病多由「其氣在於内，而感應於外」，謹慎防禦則可盡終天年；先天原稟有毒之氣，而又失於調攝，則害其生機。「毒氣和不和」篇，以狂犬病爲例，立論「萬病顯伏之緩急，亦莫不悉因於毒氣與正氣和不和也」，分别論述痘、麻、黴、疥四病中毒氣與正氣交争和融的情况。「定分」篇，提出疾病的形成與治療皆有定分（即疾病發生、發展規律），知病之定分而可察疾之變化、斷病之預後。「一生一患」篇，以痘、麻、黴、疥等諸病爲例，詳論一生一患之機理；以問對形式論述漆疹、癥瘕腹痛等亦爲一生一患的原因；總結萬病一生一患，非獨痘、麻病，皆因「人身天稟之毒氣，一竭而不再發」。「諸家病源」篇，歷數諸多醫家所持痘、麻病的胎毒病源論，評辯其偏頗舛誤，提出萬病之源爲「人身天稟之毒氣，與二儀之沴氣相合」的觀點。「痘麻無臟腑之别」篇，駁斥前人「痘發於臟，麻發於腑」「痘之成功賴氣，麻之成功賴血」之説，認爲痘、麻之病的發生、發展與陰陽、氣血、臟腑都有關聯，并非僅僅依賴其中某一方面。「痘麻鬧氣運」篇，駁斥「痘麻爲天行疫癘」之説，認爲痘、麻病「非得之於氣運時令」，并分析「氣運不作痘麻，痘麻反鬧氣運」的原由。「傳染非常」篇，以黴、痘之病由人染及牲畜爲例，解釋「非常之傳染」，多因人事所致。「同氣感應」篇，以新生兒感痘病穢惡毒氣，處産蓐穢氣之中，痘却稀少而病情順平，以此爲例推得同氣相互感應之理。「預防」篇，不認同預防痘病的某些方劑，并詳細陳述其理由。「方證」篇，指出升麻葛根湯并非痘病所宜，并從該方組成藥物的功效入手，分析其無效的理由；提出痘病病機、治則、治法及選用藥物、自擬組方等。「避痘」「避麻」篇，以作者親身見聞爲例，證明區域隔離、人爲躲避是避免傳染痘麻疾病的可靠方法，提出「令囊病之者，侍今病者，戒約不近未病者」的方法，以「斷傳染之根源，竭海内之毒氣」。

## 三 特色與價值

《斷毒論》一書廣徵博引，參考衆多文獻史料，重點研究痘、麻、黴、疥等傳染性疾病；不拘泥於前人之説，或同或异，直抒己見，視角獨特，見解新穎；重視對文獻史料中疾病記載的挖掘整理和疾病名實的考證；注重親身實踐，從理論到實踐，再從實踐上升到理論。

### （一）廣泛徵引文獻，全面梳理痘、麻、黴、疥

《斷毒論》一書雖名曰「毒」，實則側重論述痘、麻、黴、疥四種具有代表性的傳染疾病。橋本伯壽從近百種醫藥及文史類文獻中爬羅剔抉，采擷相關的各種記載，汰滓存精，對上述四種傳染性疾病的源流進行了全面的梳理。

書中徵引的醫藥文獻，主要以臨證各科醫籍爲多，如金·張從正《儒門事親》，宋·陳自明《婦人大全良方》，元·齊德之《外科精義》，明·戴思恭《證治要訣》、王璽《醫林類證集要》、薛己《外科樞要》、方廣《丹溪心法附餘》、皇甫中《明醫指掌圖》、孫一奎《赤水玄珠》《痘疹心印》、龔信《古今醫鑑》、龔廷賢《萬病回春》《壽世保元》《醫林狀元濟世全書》《雲林醫聖普渡慈航》、吴文炳《保赤全書》、繆希雍《先醒齋醫學廣筆記》、聶尚恒《痘疹活幼心法》、陳實功《外科正宗》、馬之琪《疹科纂要》、陳司成《黴瘡秘録》、吴有性《瘟疫論》、朱巽《痘科鍵》，清·張璐《張氏醫通》等。

醫經類文獻，如《素問》《靈樞》；基礎理論類，如隋·巢元方《諸病源候論》；傷寒金匱類，如東漢·張仲景《傷寒論》《金匱要略》、元·趙以德《金匱方論衍義》；本草類，如《神農本草經》、梁·陶弘景《名醫别録》、宋·唐慎微《證類本草》、明·李時珍《本草綱目》；方書類，晋·葛洪《肘後備急方》，唐·孫思邈《備急千金要方》《千金翼方》、王燾《外臺秘要》，宋·王懷隱等《太平聖惠方》、趙佶等《聖濟總録》、陳言《三因極一病證方論》，明·熊均《名方類證醫書大全》、龔廷賢《種杏仙方》《魯府禁方》，清·王夢蘭《秘方集驗》；醫案醫話醫論類，如明·汪機《石山醫案》、清·徐大椿《醫學源流論》；醫史類，如明·俞弁《續醫説》；綜合性著作，如宋·楊士瀛《仁齋直指》，明·樓英《醫學綱目》、李梴《醫學入門》、王肯堂《證治準繩》、張介賓《景岳全書》，清·吴謙等《醫宗金鑑》等。另有朝鮮許浚《東醫寶鑑》、日本佚名氏《衆方規矩》《省方類鑑》等。

此外，非醫藥學類文獻，中國有《詩經》《春秋》《禮記》《易經》《周禮》《左傳》《管子》《淮南子》《國語》《廣韵》《集韵》《説文解字》《武備忘》等；日本文獻，如《日本書紀》《續日本紀》《文德實録》《日本紀略》《類聚國史》《續古事談》《和名類聚鈔》《本朝世紀》《扶桑略記》《和漢合運指掌圖》《榮華物語》《三代實録》《吾妻鏡》《逸史》《櫻運記》《園太曆》《壒囊鈔》《百練鈔》《阿蘭弗兒部略却》等。

不難看出，作者收羅的文獻從古至今，從醫藥到文史及其他自然科學，從東方的中國、日本、朝鮮，再到西方的荷蘭等國，凡所涉獵的相關文獻記載，無不網羅殆盡，對痘、麻、黴、疥四種傳染性疾病進行了一次系統的發掘、整理和研究。

## （二）點評諸家觀點，闡發個人見解

橋本伯壽對當時日本的痘、麻、黴、疥等病皆有新穎獨到的見解，認爲「古昔無有焉，其初异域之沴氣，合湊於人身，以成一種之异病」。卷上「痘源」篇，論痘病源於异域，有傳染性强、流行時間長、間隔時間短等特點，非「古今皆以爲生涯必一患之病」，感慨世人「未嘗曉死痘之罹非命」，不僅痘病如此，麻、黴、疥病亦如此，「共沴氣有形之傳染，非難避之疾，避則必免，不避則冒」；卷下「方土异氣」篇，「痘之入於口鼻，亦便於腠理」，這與現代傳染病學中遠離并隔離病患以避免被傳染、天花可經由飛沫吸入和直接接觸傳播的觀點已經比較接近。

又如卷上「麻源」篇，認爲麻病「從來此毒每發，不必待夏時，亦不待發汗吐下後，固是一種之惡毒，傳染而爲大疫」，其流行之甚，「非天時令邪之所爲」，提出人口流動是傳染病傳播的重要影響因素，麻病流行多由染病的逆旅者傳播散布，間隔十餘年或數十年會流行爆發一次，「疾之傳染在人事，而不因天時」。再如卷上「黴源」篇，認爲黴病系「沴氣傳染」，感染後因病邪深淺不同而出現不同症狀，可由父母傳染胎兒并有一段潛伏期。卷上「疥源」篇，考證日本今之疥病，實與痘、麻、黴等病相同，皆「從海外傳，彌漫於海内」「非時氣風濕之所發，全因沴氣一種之傳染」。

本書各篇章多先引歷代醫家或著作觀點，然後點評，論述其可取之論與不足之處。如卷上「痘源」篇，「《病源候論》别傷寒豌豆瘡、時氣疱瘡、熱病疱瘡、疫癘疱瘡，各立門，煩重淆病源」，「《外臺秘要》有豌豆疱瘡門，而混戴白漿者於天行發斑門」，亦屬分類不當；卷上「麻源」篇，「或人以《金匱》云陽毒之爲病，面赤斑斑如錦文，咽喉痛，唾膿血者爲麻毒，失矣，麻毒絶非升麻鱉甲湯所宜也」；卷上

「黴源」篇，醫者或以黴病因於濕毒，或「全是瘀血惡汁所醞……魯莽亦甚矣」；卷下「方土异氣」篇，「《醫宗金鑑》曰上古無痘，性淳樸；中古有痘，情欲恣」，乃「不通之論也」「痘者，异土一種之毒氣，體於人而傳流萬國，豈情欲之所爲乎」；卷下「或難」篇，言「延陵吴有性，適知瘟疫之區別於氣中，以爲闢古人所未發，然云傷寒與中暑感天地之常氣，疫者感天地之癘氣，是亦未知萬之沴氣區別於冥冥爲萬病，惜哉！ 知其一而未知其二也」；卷下「諸家病源」篇，批駁錢仲陽、陳文仲胎毒致病之説；卷下「方證」篇，肯定王宇泰用浮萍瀉白散逐麻毒於肌表，爲千古之卓見等。

此外，書中在「按」「熟按」「德」等字下列述作者見解，或詳考所引文獻内容；文中的雙行小字，也多爲作者按語。 如卷上「痘源」篇，「此毒東晋元帝建武丁丑從虜傳焉，《外臺秘要》引《肘後方》云」，此下小字「按《肘後方》載唐永徽四年流行，陶弘景著《百一方》在南齊明帝永元二年庚辰，先永徽百五十餘年，是必後人錯亂本文，故今從《外臺》之舊」。 或考證文字及病名，如卷上「痘源」篇，「以《傷寒論》云風氣相搏，必成癮疹，身體爲癢」，此下小字注「痒，當做癢，原本誤，下同」；卷上「麻源」篇，以按語考證了「疹」之病名；或羅列文獻出處及内容，如卷上「麻源」篇，列出麻病的多種名稱，「糠瘡」下小字「《景岳全書》云：在山陝曰糠瘡；《證治準繩》云：北人謂之糠瘡；《疹科纂要》云：俗名糠瘡」。

### （三）羅致史料記載，重視名實考證

橋本伯壽大量引用歷史著作中的史料記載，描述疾病發生及傳染流行的情形，展現傳染病的發展歷史。 如卷上「痘源」篇，「聖武帝天平七年乙亥，從海外傳。 初起築紫，忽蔓延海内」「後二十有九年，淡路廢帝天平寶字七年癸卯，有此殃」「又二十有八年，桓武帝延曆九年庚午，有此殃」。 又如卷上

「麻源」篇，「敏達帝十四年乙巳，有癘疾」「自天平至嵯峨帝弘仁五年甲午流行，七十有八年，亦不知有無矣」「自弘仁至文德帝仁壽三年癸酉流行，四十年」等。其文下小字詳述史料出處及具體内容，如卷上「麻源」篇，「自仁壽至醍醐帝延喜十五年乙亥流行」，下小字書「《扶桑略記》云：十五年秋，天下疱瘡，都鄙無一免者，夭亡之輩，盈滿朝野」等。若某一時期某病的發病或流行情況史料未載，則言「史所不記，無可考證矣」。再如卷上「麻源」篇，「自萬壽至白河帝承曆元年丁巳，流行」，其下小字言「今上第一皇子敦文親王薨，歲僅四歲。上自一人，下至庶人，莫不患赤斑瘡。親王公卿，五位以上，逝者多焉」，表明麻病流行廣泛，預後凶險，死亡率高。

作者在書中指出某些古代病源論説舛誤孟浪，致後世醫書所載病名混淆雜亂。卷上「痘源」篇引述衆多醫書關於痘病的名稱，如《景岳全書》天花瘡、聖瘡，《痘疹心印》百歲瘡等，「皆濫名也」；卷上「麻源」篇，羅列中日文獻關於麻病的諸多「和漢名目」，如《景岳全書》麻、《太平聖惠方》赤瘡子、《扶桑略記》赤斑瘡、《榮華物語》亞加謨加沙等，「皆濫名，野鄙可憎矣」，古代方書記載的麻病，與發斑相混，「病源不審」；再如卷上「黴源」篇，列《先醒齋醫學廣筆記》黴瘡、《衆方規矩》葡萄瘡、《赤水玄珠》楊梅瘋等，也屬濫名；卷上「疥源」篇也詳細區分了古今疥病的名與實。

考證訓詁疾病名稱的由來及演變。如卷上「痘源」篇，痘病在日本「名曰謨加沙」，「俗曰裳瘡」，「裳，衣裾之總稱。衣訓姑魯謨，裾訓速索，仍略訓裳，曰謨速索。後世倍略其訓曰謨，固非古訓。古之所謂謨者，死喪之喪耳。蓋痘毒傳來之初，老少共病，死殣無數，日挽喪柩，故名之喪瘡乎。喪訓謨，瘡訓加沙。史作裳瘡，疑傳寫之誤，後世轉曰意謨。意者，語之發聲也」。又如卷上「黴源」篇，「當後土御門帝明應三年甲寅，西洋期（斯）幫私國名，一名意斯巴尼亞人，掠亞墨利加州之境，因婦女於舶中，舉衆犯之，於是倏染此病，然後蔓延於西洋，故名之曰斯幫私撲屈西洋呼諸瘍曰撲屈」。

### （四）親自試驗觀察，理論聯繫實際

橋本伯壽非常注重對疾病治療的親身試驗與臨床觀察，以實踐爲基礎推導論述個人觀點。如卷下「有毒無毒」篇，聽聞「我邑信田彦五郎者，性極易感漆。一夜夢過於漆樹下，忽有人伐之，樹仆撲肋骨，覺後俄發疹於其撲處」，作者「佯以膏爲漆，試塗其肋骨……而竊候其發疹否，無毫有應驗矣」，又親采漆樹嫩葉食用，而身體無恙，以此論證人體先天禀賦毒氣有無、厚薄、多少各有不同，故人身壽夭、强弱及疾病有無、輕重、多少亦有差异。卷下「毒氣和不和」篇，作者「嘗覽噬於瘈狗之人」，潛伏一年甚至二三年，「一朝正氣失常，則毒氣激烈」而發病，則「熱氣如灼，煩躁狂躍，叫吼如犬……萬無一生」。以此類推沴氣邪毒致病，有直顯或久伏的緩急不同，皆由「毒氣與正氣和不和也」「痘最與正氣逆争」「黴者最與正氣和融」「疥比痘麻黴，則毒氣最薄」。

又如卷下「痘麻無臟腑之別」篇，「解剖刑人死於麻者之體」，見麻毒侵入人體，「上自七竅、食道、肺管之窖竇，下至腸胃、膀胱、胚胎之巢穴，無不發疹之處」，知「痘麻無臟腑之别，無陰陽之别矣」。卷下「避痘」篇，叙日本豆之八丈島、信之御岳、秋山、飛之白河等地，「自古至今，皆能避痘之傳染」，其避之法，「唯莫使有其氣者入界耳」，「若有一人感之者，則移居於山野，使昔日疾之者供藥食，待其全愈而得歸正户」；卷下「避麻」篇，述安永五年丙申（一七七六）之春，某妊娠女子爲避麻病，自豆州加納村五右衛門，先後至蓮臺寺温泉、下加茂、五右衛門、長津吕等地躲避，終未感染麻病，平安返回故鄉

而順利分娩。以上均以作者所見所聞爲證，闡述痘、麻非人生必患之疾，亦非天行時令之邪氣侵犯，可隔離或躲避而免除感染。

總之，《斷毒論》全面梳理了前人對四種傳染性疾病的歷史記載，考證并闡述了與傳染病相關的諸多問題，其中很多觀點具有較高的科學性。例如，有關染病之源，提出外因有形之毒——沴氣致病，自异域傳來，且沴氣種類繁多；所論疫病中，有些具有傳染性强、傳播範圍廣、流行時間長、間隔時間短的特徵；傳染途徑既可通過皮膚腠理接觸傳染，也可經口鼻感染，人口流動是疫病傳播的重要因素，其發病可有一段潛伏期；對傳染病的預防，主張隔離阻斷或躲避傳染源，「避則必免，不避則冒」；是否感染以及感染之後病情的凶險程度、預後好壞等，與人體先天禀賦强弱、有毒無毒以及防治措施是否得當有關；人的一生未必都會感染疫病，而一旦感染某疾，則終生僅病一次（具有了對免疫的初步認識）等。本書作者橋本伯壽是一位既通漢醫、又學習過蘭醫的醫家，他對傳染病的研究同時受到來自東西方醫學的影響。作者將古今、東西方對傳染病的研究成果融爲一體，反映出日本醫學對幾種典型性傳染病的認識與防治取得了較大的進步。

## 四　版本情况

《斷毒論》初刊於文化六年（一八〇九），現有三種刻本、一種鈔本存世。其中，日本文化六年己巳（一八〇九）刻本，藏於日本國立公文書館内閣文庫、大阪府立圖書館石崎文庫；文化七年庚午（一八一〇）刻本，藏於日本九州大學圖書館、京都大學圖書館富士川文庫、東京大學圖書館鶚軒文庫、乾乾齋文庫；文化十一年甲戌（一八一四）刻本，藏於日本早稻田大學圖書館。現存鈔本係據日本文化七年（一八一〇）刻本重抄，藏於日本東京大學圖書館鶚軒文庫。❶此外，中國也存有日本文化六年己巳（一八〇九）刻本，藏於中國醫學科學院圖書館、中國中醫科學院圖書館、南京圖書館。❷

本次影印采用的底本，爲日本早稻田大學圖書館所藏文化十一年甲戌（一八一四）刻本。此本藏書號爲「武9 203」，分上、下兩卷，共有二册，每卷一册。四眼裝幀。封皮墨藍色，左側題簽上書「斷毒論」書名及「天」「地」的册數，右下角有藏書號。扉葉題「三巴先生著／斷毒論／東都書肆文刻慶壽／千鐘二酉四家／發行」，右下角鈐「竹蔭醫寮藏」之印。書首末無序跋，天册卷首有「斷毒論目録」。上、下兩卷正文首葉分別題署「斷毒論卷之上（下）／甲斐橋本德伯壽著」并有其他檢閲、校對者里籍、姓名。全書四周有墨綫邊框（上卷四周單邊，下卷四周雙邊），烏絲欄。版心白口，單黑魚尾，魚尾上方刻書名「斷毒論」，書口中部鐫卷次、葉碼，下方雕「竹蔭醫寮藏」五字。正文每半葉十行，每行二十字。每篇標題所在行縮進三個字，下文另起一行頂格書寫；書中凡以「日本」「和漢」「國家」「兩朝」「本邦」等政權或國家相關詞語開頭者，或涉及日本某朝天皇名號時，則另起一行頂格刻寫。全書以「。」句讀。書中可見少量蟲蛀痕迹，但整體品相完好。卷下「同氣感應」篇、「方證」篇的天頭處有幾處眉批，用以補充説明正文的内容，并以單綫框括。卷下之末有「節齋著書目録」，爲橋本伯壽即將出版的四部醫書廣告。

---

❶〔日〕國書研究室．國書總目録：第五卷［M］．東京：岩波書店，一九七七：六〇一．

❷薛清録．中國中醫古籍總目［M］．上海：上海辭書出版社，二〇〇七：六〇八．

全書末葉的刊刻牌記鎸有本書出版時間及刻書者姓氏、地址等信息，即「文化十一年甲戌秋七月／書林……」。

總之，《斷毒論》是一部主要研究痘、麻、黴、疥等傳染病的專書。該書不僅縱論詳考四種典型性傳染病的病名、病因、病機、疾病發生發展歷史、臨床症狀以及預防、治療等内容，而且展現了作者嚴謹的治學態度、活躍的論證思維、豐富的臨證經驗，具有較高的疾病史學、文獻學研究價值及臨床實用價值。書中反映出作者有關沴氣致病的思想，從天人相應一體的思維觀出發解釋疫病發生發展的醫學原理，通過隔離防控傳染等諸多觀點，卓有創見，對於預防、治療流行性傳染病亦具有重要的參考借鑒價值。

孫清偉　蕭永芝

斷毒論
天
武 9
203
1

三巴先生著

# 斷毒論

東都書肆

文刻　慶壽　四家

千鍾　二酉　發行

# 斷毒論目錄

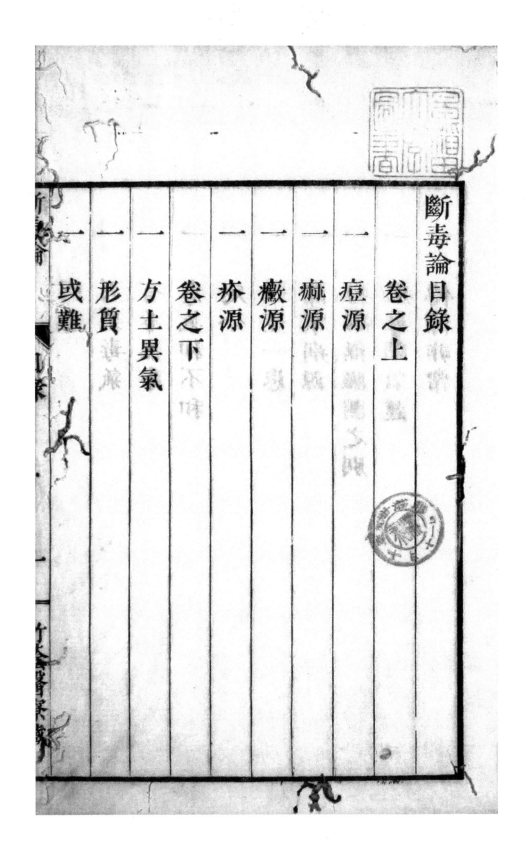

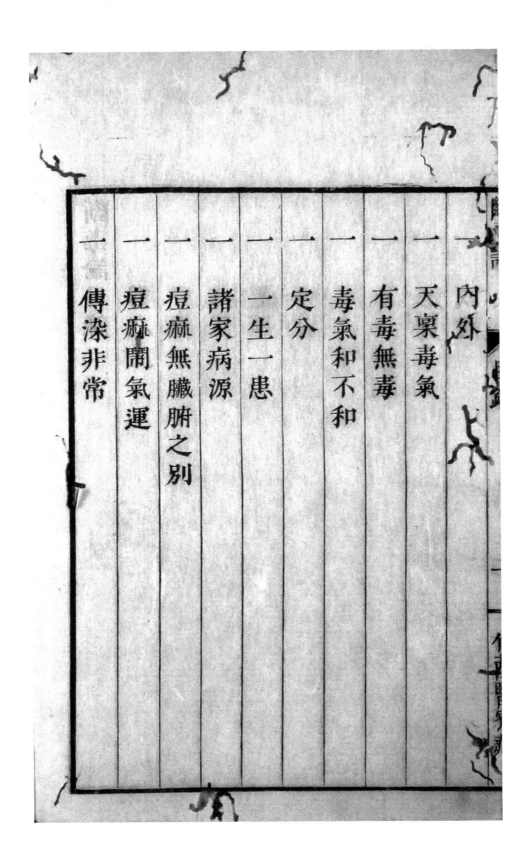

目錄終

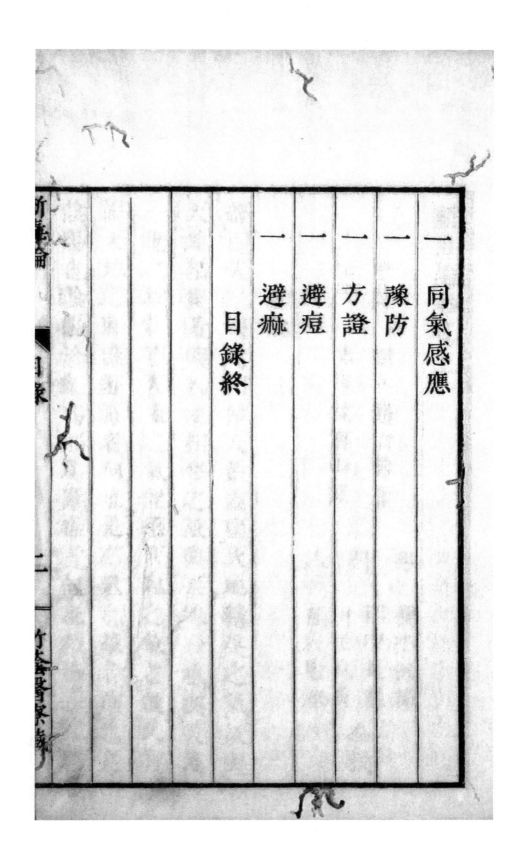

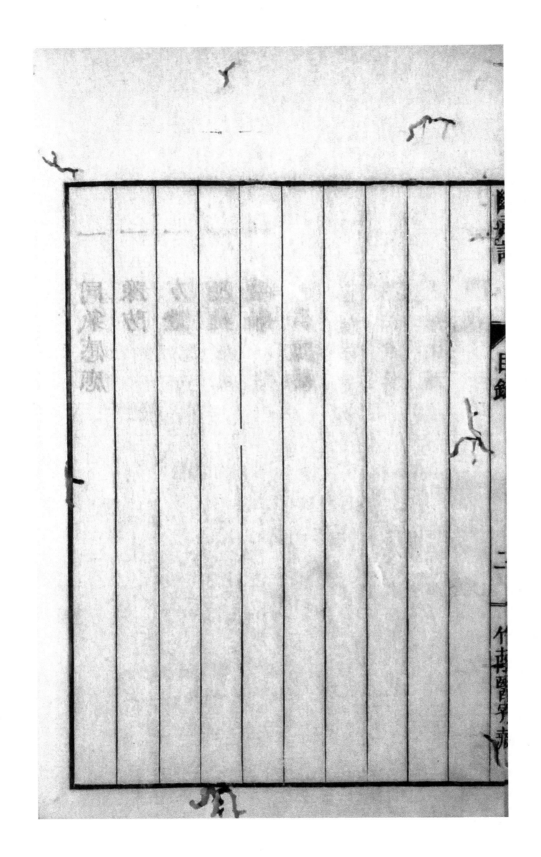

# 斷毒論卷之上

甲斐　橋本德伯壽著
男　橋本保節
田中見龍
江戶　溝部益有山閱
門人　川手見貞
有泉見淑　仝校

## 總論

經曰。夫二儀之內。惟人最靈。稟天地精英之氣。故與天地相參。蓋與天地相參之故。與天地一也。與天地一也之故。能感天地之氣。能感天地之氣之故。又有感天地之邪毒。邪毒者何也。是亦氣也。氣者何也。是陰陽也。陰陽沴亂。爲邪。爲毒。毒者何也。體物而有形。

邪者何也因氣而無形其邪也毒也有區别焉譬猶百花之異芬芳百藥之殊能毒也邪毒不一有萬不同故感而傷人能成萬狀之疾疾雖萬狀其本二也曰内因曰外因所謂外因者傷寒痘痳癮疥之類是也内因者癥癖狂癇勞極之屬是也内因者陰陽内亂而應于外外因者陰陽外亂而感于内皆陰陽之沴氣合湊而成疾經所謂氣合有形者也寔變化之父母生殺之本始不可不審察也但外因中若傷寒者無形之邪時行于冥冥之中不可視不可察故曰非君子固密則難避矣若痘痳癮疥者有形之毒可

視可察。是以雖常人易避矣。何者。觸之則疾。不觸則不疾焉。然癥疥易治。痘痲難治。世人能知癥疥之可避。惡之如寇讎。於痘痲之難治。親之如女色。悖於好生惡死之常情者。何也。蓋俗習之弊然也。然而毒氣熾盛。家病戶斃。則人人憂性命之難持。忙然神佛並禱。巫醫俱奉。惛惛憒憒。不識所賴。於是欲遽過一厄而後就安。數狎昵病者。投生身於死地。猶蜚蛾之撲燈火也。噫嘻。使百年之壽。夭於襁褓之中。以非命歸于天。莫之能悟。悲哉。至艸醫輕薄之徒。纔持一二方書。延首遲痘痲之流行。竊圖弋生計之充足。只利是貪毫無仁愛之心何異棺匠之利人之夭横乎對其死者謾言胎毒之所爲孰克治之或言歲氣之所使人力不及醫託之天命俗安之因果然此言也非今人之言古人已言之豈非違聖教乎經曰聖人不治已病治未病不治已亂治未亂夫病已成而後藥之亂已成而後治之譬猶渴而穿井鬬而鑄兵不亦晚乎夫八風五疫之無形猶有聖人避之法況於惡毒有形而傳染者乎 德雖不肖受先人之遺業三十年于茲每診疾病鑑古今方籍焦思刻心不敢輕忽然後粗知疾之治不治況於痘痲之有形世俗亦能決

治不治者乎。驗其病證。順者不藥而愈。逆者雖治無救。徒束手待斃而已。夭札難救。禍殃無極。是則非天行疾疫之比。視其如是則雖癡愚不能不憾痛也。德乃發多年之蘊積。明人身參天地與氣合而有形之源。而昭之聖言。則豁然如拂雲霧見白日。古今醫流謬妄之說。氷解瓦碎。不攻自潰。於是祛區區之方論。撥世人之朦昧。壹奉聖人治未病之教。欲以豫備未然。防未崩。而使萬世無疆之人得躋於壽域矣。夫人身參於天地。氣合而有形之言。不翅傳染有形之毒。推擴之於萬病。而無一不吻合者。則能解此一言者。

則知萬病之源，不惑古今之謬說耳。

## 痘源

痘者，古昔無有焉。其初異域之沴氣，合湊於人身，以成一種之異病，舟車之所通，人跡之所屆，傳染周流，殘害天下古今之生民者也。按此毒東晉元帝建武丁丑，從虜傳焉。外臺秘要引肘後方云：按肘後方載唐永徽四年流行，陶弘景著百一方，在南齊明帝永元二年庚辰，先永徽百五十餘年，是必後人錯亂本文，故今從外臺之舊。比歲有病天行發斑，頭面及身，須臾周匝，狀如火瘡，皆戴白漿，隨決隨生，不即療，劇者數日必死，療得瘥後，瘡瘢紫黯，彌歲方滅，此惡毒之氣也。世人云以建武中於南陽擊虜所得。仍呼爲虜瘡。是即豌豆皰瘡。後世所謂痘是也。後世誤認肘後方云建武中。以爲東漢之年號。葛洪東晋人。謂比歲有病則痘之起於東晋建武。必矣。李時珍謂昉於東晋。是也。見于本艸綱目、升麻附方、或人以傷寒論云。風氣相搏必成癮疹。身體爲痒。痒、當作癢、原本誤、下同、痒者名泄風。久久爲痂癩。以爲痘也。痘之有膿。不可謂癮疹。謂久久爲痂癩。亦不與痘的當。病源候論。別傷寒豌豆瘡。時氣皰瘡。熱病皰瘡。疫癘皰瘡。各立門。煩重淆病源。外臺秘要。有豌豆瘡瘡門。而混戴白漿者。於天行發斑門。蓋戴白漿者。固非發斑也。古方書病源。孟浪如是。其他後世方書。病源論說悉非也。若其名目稱天花瘡聖瘡。景岳全書百歲瘡。痘疹心印疱瘡。俗畧豌豆皰瘡、曰疱瘡、疱皰通用、皰者、起水泡之疾、無痘時、已有此字、淮南子所謂、潰小皰而發痤疽、是也、皆濫名也。古此毒之行。從異域流入于中原。衆庶畢染。免之者。千萬中一二耳。故每流行隔數年。隔數年之故。古方書皆屬之大人病門中。以外臺秘要云。永徽四年此瘡從西域東流于海內。按之至唐代尚從外國傳而疾。可見非本來地氣之所爲。固戎狄一種之有形惡毒也。我

日本。

聖武帝。天平七年乙亥。從海外傳初起於筑紫。忽蔓延海內。名曰讃加沙。續日本紀云。七年乙亥。八月。丙午。太宰管內諸國疫瘡大發。百姓悉臥。十二月。壬寅。是年。頗不稔。自夏至冬。天下患豌豆瘡。夭死者多。俗曰裳瘡。續古事談。壒囊鈔等云。筑紫漁人。漂流于新羅。初染此毒來。按裳衣裙之總稱。衣訓姑魯讃。裙訓速索。仍畧訓裳曰讃速索。後世倍畧其訓曰讃。固非古訓。古之所謂讃者。死喪之喪耳。蓋痘毒傳來之初。老少共病。死殪無數。日挽喪柩。故名之喪瘡乎。喪訓讃。瘡訓加沙。史作裳瘡。疑傳寫之誤。後世轉曰意讃。意者語之發聲也。上自一人下至億兆。免此殃者幾希也。後二十有九年。

淡路廢帝。天平寶字七年癸卯。有此殃。按續日本紀。不記疫瘡。特記疫癘。雖然。延曆庚午。記云。年三十己下者。悉發豌豆瘡。則癸卯之痘也。明矣。果非痘。則自天平乙亥。至延曆庚午。五十有六年。何特三十己下者而已。又二十有八年。

桓武帝。延曆九年。庚午有此疫。續日本紀云、九年庚午、十二月、辛酉、是年、秋冬、京畿男女、年三十已下者、悉發埦豆瘡、臥病者多、其甚者死、天下諸國、往往而在、按、埦當作豌、原本誤、自是以降。自西自東自南自北。流于郡國。傳于郵落。或襲入禁闕深宮。今也。其期大率六七年。至大國大都。連年不絕。蠢食而行。抑自天平傳此毒。千餘年于今。生民之災害莫甚焉。而無自發之者。遠傳近染。毒氣迅速。似難免者。故古今皆以爲生涯必一患之病。反相賀其傳染。無敢忌避之意。未嘗曉死痘之罹非命。俗習之弊。悲哉。不特痘而已。痲也。癮也。疥也。共沴氣有形之傳染。非難避疾。避則必免。不避則冒。

痲源

痲亦古昔無有焉。其初異域之沴氣。合湊於人身。以成一種之異病。傳染周流。恰如痘之巡行郡國。屢巡行萬國。而殘害乎古今之生民者也。按和漢多名目。所謂傷寒斑瘡。天行發斑。溫病發斑。溫毒發斑。唐以上諸方書、痲景岳全書云、在江右湖廣、曰痲、保赤全書云、古謂痲、即疹也、按方書、析痲疹二字單用纔矣、疹字从参、参者、古之鬒字、皮膚細疿、戴毛参者、總謂之疹、釋名云、診也、有結氣可得診見、可謂鑒也、諸瘍有形者、皆得診見、集韻作瘮、軫鬒同音、取意軫星主風乎、痲疹。古今醫鑑、痲疹濟世全書、廣韻云、痲本作痲、糠瘡。景岳全書云、在山陜曰糠瘡、證治準繩云、北人謂之

糠瘡、疹科纂要云、俗名糠瘡　**赤瘡子。**太平聖惠方　**膚疹。**三因方云、細粟如麻者、俗呼曰
麻、即膚疹也、　**麩瘡。**聖濟總錄、又準繩云、南人謂之麩瘡、是亦與糠瘡意相近、**沙子。醋子。**
**膚瘡。赤瘡。疹子。**景岳全書云、在蘇松曰沙子、在浙江曰醋子、在山陝曰膚瘡、曰赤瘡、在北
直、曰疹子、按、客酌主人謂之醋、所謂醋子者、取意身體發瘡、紅赤如爛醉乎、**瘄。痧。娉疹子。**
**正疹子。**證治準繩云、越人謂之瘄、吳人謂之痧、小兒有出三次者、出輕而日數少者、名娉疹子、出
重而日數稍多者、名正疹子、又曰、出痘前者、名娉疹子、出痘後者、名正疹子、以上與風疹水痘混雜、此毒
固無痘後痘前之別、字典曰、瘄音未詳、是全南越俗字、疑醋字从疒省酉乎、痧字書未見、从疒从沙、是亦
江左俗字、後世呼異氣惡毒、名沙病、如沙張番沙等、然其毒本不與痲類、**瘖子。**痘疹心印云、浙地呼
爲瘖子、說文云、不能言也、取意咽喉發瘡、聲音不利乎、或瘖之誤乎、字典云、古文陰字、古今變字、可怪者
多矣、**騷疹。**治痘詳說云、一見紅色而復沒、沒而見者、謂之膚疹、北人謂之騷疹、是全非痲、疑風疹之

類耳、麻子瘡。天平九年官符赤斑瘡。扶桑畧記斑瘡。百練抄赤疹。和漢合運

赤疱瘡。稻目瘡。但本記畧、和訓意納墨加沙、亞加謨加沙。榮華物語巴

斯加。邦俗、呼糠穎、曰巴斯加、取意身體喉口發疹如觸糠穎、與證治準繩云糠瘡同意、意納

速利。和、稻訓意納、摩訓速利、是亦觸稻穎之意、等。皆濫名野鄙可憎矣。古

方書皆與發斑混。病源不審。初起傳來亦未審之。肘

後方云。溫毒發斑。大疫難救。古今錄驗云。癮疹斑爛。

如錦文。而欬。心悶嘔吐清汁。眼赤口瘡。下部亦生瘡。

病源候論云。發斑瘡。癮疹如錦文。重者喉口身體皆

成瘡者。俱痲毒也。但云冬溫。未即發。至夏冬溫毒始

發出肌中。又云。發汗吐下後。熱不除。表己虛。熱毒乘

虛由於肌中者誤矣從來此毒每發不必待夏時亦不待發汗吐下後固是一種之惡毒傳染而爲大疫或人以金匱云陽毒之爲病面赤斑斑如錦文咽喉痛唾膿血者爲痳毒失矣痳毒決非升麻鼈甲湯所宜也若東漢有此癘疾則仲景之立方豈如是耶顧此毒從戎狄傳來與痘不遠矣於我

日本則先於痘之傳來遠矣按日本書記

敏達帝十四年乙巳有癘疾日本書記云十四年乙巳三月丙戌屬此之時天皇與大連卒患瘡又發瘡死者充盈於國其患瘡者言身如被焚被打被摧啼泣而死其病狀爲痳毒無疑矣或人曰

欽明帝十三年壬申。百濟獻佛像幡蓋經卷若干。令群臣議之。蘇我稻目曰。西番諸國。壹奉之。本邦豈獨背哉。物部尾輿。中臣鎌子等諫曰。有天地社稷。何拜蕃神之爲。若拜則鬼神必怒焉。於是帝竟不奉。賜之稻目。令安置于小墾田。稻目忻悅。不翅勤修其道。遂捨向原第。爲寺。于時癘疾騤行。人民夭札。於是尾輿鎌子同奏曰。昔日不容臣等之言。致此禍害。國家須廢蕃神。而求介福。乃命有司。放火於向原寺。弃佛於浪花津之堀江。時從百濟傳來癩毒。故國人歸罪於稻目。仍有稻目瘡之名。恐是乎。從此說、則其傳來。在乙巳前三十有四年。自乙巳至聖武帝。天平九年。丁丑流行。續日本紀云、九年、夏四月、癸亥、太宰管內、諸國疫瘡時行、百姓多死、詔奉幣於部內諸社、以祈禱焉、又賑恤貧疫之家、並賜湯藥療之、六月、甲辰、朔、廢朝、百官官人患疫也、八月甲寅、詔曰、自春以來、災氣發處、天下百姓、死亡實多、百官人等、闕卒不少云云、是年、疫瘡大發、初自筑紫來、經夏涉秋、公卿以下、天下百姓、相繼沒死、不可勝計、近代以來未之有、按、天平七年、已有痘、此記疫瘡者、必痲毒也、以下舉史曰天下疱瘡、曰疫瘡、曰小瘡、及改元、禱神、大赦、賑給等之事、不關于痘者為例、以推流行之次序、百五十有三年之間。史所不記。無可考證矣。自天平。至嵯峨帝。弘仁五年。甲午流行。文德實錄云、仁壽三年、二月、庚寅、晦、是月京師及畿內多患疱瘡死者甚矣天平九年及弘仁五年有此瘡患今年復不免此疫而已七十有八年。亦不知有無矣。自弘仁至文德帝。仁壽三年。癸酉流行。日本記畧云延喜十五年十月十六日癸卯巳一点於紫宸殿大庭建禮門朱雀門等有大祓事爲除疱瘡也依仁壽三年貞觀五年例也文德實錄云仁壽三年二月丁巳以穀倉院籾鹽給京師患疱瘡者四月乙酉頗疱瘡流行人民疫死五月辛亥美濃國出穀二千一百斛給患疱瘡者九月辛五詔大宰府出穀三萬八千七百餘斛賑給管內患疱瘡者類聚國史云仁壽三年疱瘡流行人民疫死按古今醫毒之行未有周二歲者疑傳寫之誤但貞觀五年欵疫也四十年。自仁壽。至醍醐帝。延喜十五年。乙亥流行。扶桑畧記云十五年秋天下疱瘡都鄙無一免者夭亡之輩盈滿朝野十月十一日戊戌天皇有御疱瘡事日本記畧云十五年冬十月二十六

日、癸丑、大赦天下云云、是依疱瘡流行之愁也、如是
院年代記云、十五年、乙亥、夏天下疱瘡、帝患之、
六十有三年、亦未審其有無矣、按日本記畧、延長三
年。
帝患皰瘡。日本記畧云、三年乙酉、六月十三日、甲戌、天皇患疱瘡、按于時、帝年四十有一、
先是延喜十五年。已患之何再患痘之有。是卽古史
所記痘痲渾稱疱瘡明據也。蓋痘者延暦以降餘毒
所在有之。常巡行郡國而不爲海内同時之害。痲者
周流萬國故隔數十年。適爲海内一般之殃。是以史
之所記。痲者。闕
國家之大事。痘者。散在其間。證據自分明也。自延喜。

至村上帝。天暦元年。丁未流行。日本紀畧云、元年、六月晦、癸未、今月以後、疱瘡多發、人庶多傷、有童謡言、八月十五日、丙申、爲攘除疱瘡、於紫震殿、建禮門、朱雀門、三箇所、有大祓、去六月間、歳三十以下男女、頗小瘡、今月以後、尤熾盛、其瘡爲體、或如粟、或如豆、去延喜十五年、有此瘡、世號疱瘡、十七日、戊戌、天皇、上皇、共惱疱瘡、十九日、庚子、賑給各米百斛、鹽三十籠、於東西京、仍疱瘡及赤痢也、九月五日、丙辰、大赦、依疱瘡所也、冬十月五日、丙戌、女御藤原述子、卒於東三條第、歳十五、依疱瘡之間生産也、按今尚多痲後患赤痢者、臓中發疹之所爲也、所謂如粟如豆者、痲之夾痘也、三十有三年。自天暦。至

圓融帝。天延二年。甲戌流行。扶桑畧記云、二年、八九月間、有疱瘡疫、天下貴賤、夭者多矣、伊尹朝臣、四男、右近少將義孝、疱瘡而卒矣、日本記畧云、二年、八月廿八日、癸卯、於紫震殿

前坐、建禮門、朱雀門、大極、依天曆元年八月十五日之例、是爲除疱瘡災也、九月八日、癸丑、奉幣於伊勢、以下十六社、依疱瘡災也、閏十月十七日、辛酉、伊勢齋王隆子女王、卒于齋宮、依疱瘡之病也、百練抄云、天延三年、六月十五日、始自今年、被獻東遊走馬等於祇園社、依去年疱瘡時御願也、

二十有八年。自天延至一條帝長德四年戊戌流行。扶桑畧記云、四年、戊戌、自夏至冬、疫瘡遍發、六七月間、京師男女、死者甚多、下人不死、四位以上人妻、最甚、外國不死、世謂之赤斑瘡、自 天皇至庶人、貴賤老少、緇素男女、無一免者、五年、正月、改元爲長保、依去年赤斑瘡疫也、日本記畧云、四年、七月、天下衆庶、煩疱瘡、世號之稻目瘡、又號赤疱瘡、天下無免此病者、但前信濃守佐伯公行、不患此病、百練抄云、四年、自夏至冬、斑瘡流行、死亡者多、古老未見如今年者、按扶桑畧記云、正曆四年、秋、此天下有疱瘡疫、蓋痘也、長德前纔五年、何有痲毒流行、天下二字、必記者之誤、

二十有六年。於是乎。

史始有赤斑瘡。稻目瘡。赤疱瘡之目。自長德至後一條帝。萬壽二年。乙丑流行。扶桑畧記云、二年、自夏至秋季、有赤疱瘡、日本記畧云、二年、九月二十八日、丁未、定考、自夏至秋、天下患疱瘡、和漢合運云、夏及秋、多赤疱瘡、二十有八年。自萬壽至白河帝。承曆元年。丁巳流行。扶桑畧記云、元年、八月六日、今上第一皇子、敦文親王薨、歲僅四歲、上自一人、下至庶人、莫不患赤疱瘡矣、親王公卿五位以上、逝者多焉、百練抄云、元年、今年上自后宮大臣、下至庶人、皆患赤斑瘡、親王公卿以下、逝者多、權右中辨師賢、一人免此難、敦賢敦文兩親王、依疱瘡薨、承保四年十一月十七日、改元爲承曆、依旱魃並赤斑瘡、五十有三年。榮華物語云、亞加謨加沙、五十三年而來、隔距之遠。有說暫置諸。自承曆。至堀河帝。嘉保元年。甲戌流行。扶桑畧記云、寛治八年正月十六日、戊子、陽明門女院禎子崩、歳八十五、赤斑瘡所害也、百練抄云、寛治八年十二月十五日、改元爲嘉保、依疱瘡也、

十有八年。自嘉保至

鳥羽帝。永久元年。癸巳流行。百練抄云、元年正月、近日赤斑瘡、流布天下、

二十年。自永久至

崇德帝。太治元年。丙午流行。百練抄云、天治三年、正月廿二日、改元爲太治、依疱瘡也、

十有四年。其期最邇矣。自太治至

近衛帝。康治二年。癸亥流行。本朝世紀云、二年五月六日、壬戌、太上皇煩御疱瘡、六月廿四日、己酉、三品雅仁親王室家夭亡、歳廿八、産後煩疱瘡也、九月十四日、庚午、權中納言藤公教卿、參左仗、被行非常赦事、太內記藤令明、草進詔書、依天下疱瘡並行臨事御祈也、十五日、辛未、

上皇御惱、疱瘡之後、邪氣相加、頗危急、廿四日、庚辰、自今夜主上御疱瘡事、廿七日、癸未、主上御疱瘡、未復尋常、又待賢門院同煩疱瘡、廿八日、甲申、於三所有大赦事、依天下疱瘡也、二十年。自康治至

二條帝。應保元年。辛巳流行。百練抄云、永暦二年、九月四日、改元爲應保、依疱瘡也、十有九年。自應保。至

高倉帝。安元元年。乙未流行。百練抄云、元年、三月五日、主上御疱瘡、近日天下流行、被行御祈等、承安五年、七月廿八日、改元爲安元、依疱瘡并世上不閑也、和漢合運云、天下疱瘡、十有五年。其期亦邇矣。以上史槩云疱瘡。然海內一齊流行者。非痘也。距安元十有八年。

後鳥羽帝。建久三年。壬子。畿內關東。有同時稱疱瘡

者。東鑑云、三年、壬子、十二月廿三日、辛酉、若君萬壽此一兩日御不例、今日疱瘡出現、此事都鄙殊盛、尊卑遍煩、百練抄云、三年、十一月、十六日、甲寅、依疱瘡御祈、有三所大赦、四年、正月朔、主上自一昨日御不豫、疱瘡云云、而無改元禱神等之事。疑痘毒乎。自安元。至

土御門帝。建永元年。丙寅流行。百練抄云、元年、正月十二日、被發遣十二社奉幣使、依疱瘡御祈也、元久三年、四月十七日、改元爲建永、依赤斑瘡也、五月四日、被發遣十二社奉幣使、依疱瘡御祈也、三十有三年。自建永至

後堀河帝。元仁元年。甲申流行。百練抄云、元年、近日天下、赤斑瘡多有其聞、十有九年。自元仁至

後深草帝。康元元年。丙辰流行。百練抄云、元年、八月廿七日、近日世間、赤

斑瘡流布、上下病惱、九月五日、壬辰、天皇煩赤斑瘡、廿五日、壬子、雅尊親王薨、依赤斑瘡也、同日三位中將頼嗣卿薨、依赤斑瘡也、建長八年、十月十五日、改元爲康元、依赤斑瘡也、三十有三年。比比存焉。從是而後有後宇多帝建治三年。丁丑。康元後、二十有二年、花園帝應長元年。辛亥。建治後、三十有五年、光明帝康永元年。壬午之癘疾。應長後、三十有二年、以上見園太暦、康永四年、九月十六日、因天下疫癘、左太史小槻清澄、奏進改元禱神等古例三十條中、以改元禱神及流行年間。例之從前。蓋癘毒也。南北兩朝鼎革以降。難知者。須博覽之君子。近者人之所知者。則寶永五年。戊子流行。自秋至冬。又經二十有三年。亨保十五年。庚戌流行。自秋至冬。又經二十有四年。寶曆三年。癸酉流行。自春至夏。又經二十有四年。安永五年。丙申流行。自春至夏。又經二十有八年。享和三年。癸亥流行。自仲春至仲秋。其流行雖無定期。來去有常。恰如痘之來去。其隔數年者。則巡行萬國故也。或人曰。享和中。清蘇州府醫胡兆新者。來于崎陽。有謂曰。痳之流行。自昔皆有。天時令邪。依人感之輕重。體之强弱。爲凶吉。治之不善。內陷致死。目今唐山。年年皆有。較之從前。尤繁重也。倘如是。則異吾子之所說。如何。德對曰。唐山方今痳毒年年有之者。

非天時令邪之所爲。蓋由大國多人也。何者。目今本邦大都。年年有患痘者。於邊鄙。則不然。是豈大都與邊鄙。天時令邪之所爲。有古今之差。而然哉。由是觀之。唐山痲毒繁重也。亦非天時令邪之所爲。有古今之差也。明矣。管子不謂乎。天不變其常。地不易其則。春秋冬夏。不更其節。古今一也。凡疾之傳染。狂人事。而不因天時。是故。亂世之痘多。老壯。治世之痘。唯嬰兒耳。其故何。則當夫戰國力爭時。比鄰互仇。同盟相疑。羽檄尚不傳。況痘之傳染乎。意唐山昇平已久。疆界遠闊。諸道經緯。達於方外。州府巷邑。連綿相接。

故痳毒常追隨人跡。流于東西。行于南北。去來不期餘毒不消。雖然唐山亦至邊鄙邨落人少處。豈年年有之乎。

本邦天平延曆之痘毒隔數十年。亦非天時令邪之差。以一齊流行。竭海內之人故也。方今痳毒之行。傳染之勢。急於痘。然非其毒暴於唐山。非天時令邪異於唐山。是亦人事之所使也。何則痘者。嬰兒之患。痳者。多在壯年。故逆旅染病者。旬日行程傳於千里之外。未過半歲。流布于海內。普竭其人。而後罷。又隔數年。傳來海外之毒氣。則復作海內之巨害。故史之所記今之所覩莫不必從西海流東海是以其流行遡者十餘年遐者數十年其期如存如亡若夫萬壽永曆之際隔五十三年亦非天時令耶之所使幸不傳外國流行之毒也以何證之享和癸亥之痳毒豆之八丈嶋獨免焉是嶋以有流刑之徒嚴禁舟楫之往來是故不傳

本邦之毒也後歲若傳之則與萬壽永曆之際何以異耶是卽所以謂傳染之疾在人事而不因天時也嗟每此毒行絕世嗣殞骨肉夭札之夥非天行疫疾之可比者也雖然沴氣有形一種之傳染非難避疾

避則必免。不避則冒。

## 癥源

癥亦猶痘痳。古昔無有焉。其初異域之沴氣。合湊於人身。以成一種之異病。遂傳來于本邦。原非我地之毒氣。故斷無自發者。放盪無賴耶淫之徒。幽傳冥染矣。縉紳貴介。能避之。未嘗有中其毒者也。按阿蘭弗兒部略却書所記。當後土御門帝明應三年甲寅。西洋期幫私（國名、一名意斯巴尼）亞人。掠亞墨利加州之境。因婦女於船中。舉衆犯之。於是條染此病。然後蔓延于西洋。故名之曰斯幫私扑屈。西洋呼諸瘍曰扑屈。又按方書。明弘治末年。起於廣東。因名之廣瘡。兪弁續醫說云、弘治末年、民間患惡瘡、自廣東人始、吳人不識、呼爲廣瘡、黴瘡秘錄云、究其根源、始于午會之末、起自嶺南、至使蔓延通國、流禍甚廣、西洋傳此毒。而數年之後。初起於廣東。名廣瘡者。有以哉大廣東者。西洋賈船所輻湊之地。是必從西洋傳於是。亦無疑矣。黴瘡秘錄曰。嶺南卑濕而暖。霜雪不加。蛇蟲不蟄。諸凡穢汚。黴爛易毀。人感之則瘡瘍易侵。更逢客火交煎。重虛之人。卽冒此疾。故謂陽黴瘡。可謂臆斷矣。若嶺南地氣起此疾。則何久待明代哉。至其謂重虛之人卽冒此疾。則誣亦甚矣。黴之染着。豈特重虛之人

耶。又至其謂痘先天之所中。癥後天之所感。則不獨
陳九韶後醫亦未曾有覺悟其所因者也。意此毒之
行於
本邦。亦從海外傳初起於西陲。按逸史曰。天文中。大
友宗麟。乘亂封殖。與海外諸國私通互市。西洋因傳
天主教。散金煽惑愚民。西陲爭附。又曰。永祿十一年。
是歲。夷舶至崎陽。先是外舶往往。至界府及筑之博
臺豐之府內。而崎陽地形便湊泊。於是多就焉。蓋是
時傳之乎。方今。崎陽俗號扑屈斯幫私扑屈之畧語
也。又按。永祿天正之際。稱唐瘡。予家藏德本翁無盡藏中以唐瘡目之杈

本改作梅瘡、蓋私改也、翁氏長田、號知足齋、本州人也、初遊京畿、受業曲直瀨氏、遂成一家、性資天成、沈靜寡慾、不屑榮名、好遊四方、不知其終處、世稱神醫、奇術行狀、往往存于口碑矣、方今筑肥俗稱唐瘡。要之從海外傳來。不可疑矣。方書多名目。謂之徽瘡（先醒齋筆記云、此瘡青黑蒼白、如物中久雨而生黴）者。以病象名之。謂之廣東瘡（景岳全書）廣瘡（證治準繩）者。以地名名之。謂之楊梅瘡。（石山醫案）綿花瘡。茱萸瘡。（景岳全書）砂仁瘡。（徽瘡秘錄）葡萄瘡（衆方規矩）者。以形名之。若夫謂廣痘梅瘡。陽徽瘡。（徽瘡秘錄）天泡瘡。薄皮瘡。（古今醫統）天疱瘡。（東醫寶鑑）楊梅風。（濟世全書）時瘡。（外科正宗）大風痘。大痲風。（醫學入門）楊梅瘋。（赤水玄珠）厲瘡。（壽世保元）菓子瘡。厲風。（普渡慈航）楊梅癰。（丹溪心法附餘）賣瘡。（先醒齋筆記）皆濫名也。復自古謂陰中麵瘍。素問至真大要論陰中蝕瘡。金匱方論男子陰瘡。女子陰瘡。名醫別錄婦人陰蝕。古今錄驗男女陰瘡。病源候論下部疳。妬精瘡。千金方陰頭癰。千金翼陰邊粟瘡。外臺秘要血疳。仁齋直指小便注捍疳瘡。證治要訣臊疳。儒門事親蛀疳瘡。醫林集要淫陰瘡。外科精義蠟燭發。古今醫統陰頭瘡。淫淹瘡。恥瘡。醫學綱目陰疳。本艸綱目玉莖蛀疳。救急秘傳方蛀幹瘡赤水玄珠者。瘷爲陰瘡。陰蝕下疳者。迥別也。又謂橫痃。便毒。痃痃。瘩子。拗中赤腫。婦人良方、按字書、無痃字、血疝。便癰。儒門事親腿便疙瘩。種杏仙方路岐。猉。癗。羊核。醫林集要、按字書、無癗字、陰股猉癧。本艸綱目偏癰。魯氣。醫書大全魚口橫眼。魯府禁方一石米瘡。證治準繩騎馬癰。外科正宗露瘨。證治要訣騙馬墜。醫學綱目騎馬癰。萬病回春按字書無騎字者。癥爲便毒魚口者大異也。陰瘡下疳。便毒魚口。自古有而不傳染。癥者則傳染。毒氣原大異。而治法亦大異也。醫者。須察其病因。稱癥某證。以正名分矣。香川氏曰。古稱陰瘡者。大爲邇焉。杜撰甚矣。又斥醫流洎俗間謂溼毒者曰。在高山深谷河濱海涯霧露水溼之處者。皆可患此證。而反無病者。而居於通都大邑平康乾燥之地者。多罹此苦。則可見此疾。全是瘀血惡汁所醞。而決非因於溼也。其謂非因於溼。則可也。謂因於瘀血。則不可也。果如其言。則居於溼地者。必爲無瘀血乎。凡疾之有形。自癰疽疔瘻之大瘍。至痤疿癮疹、蚊蝱蝨蚤之微恙。莫不因於瘀血之所爲。何得謂癥特因於瘀血邪。不唯其說矛盾。未知此毒之在通都大邑。全因於傳染也。鹵莽亦甚矣。陳實功曰。名時瘡。因時氣乖變。邪氣湊襲。若因於時氣。則應不待傳染。而人人自發焉。諸家所說槩此類。皆不明淫氣傳染之病源。強縱臆見。固莫足取者矣。熟惟傳染之初。直發瘡者。其所感淺也。或未顯一點之瘡狀。而患頭腦苦痛。肢體酸疼。毛髮脫落。咽壞鼻崩。耳聾失音。痰欬。癲癇等者。則其所中深也。人各異其所中者。則天稟之自然而與彼天行邪氣之有表裏其理何異哉世人輒以一定方誤治者多矣噫一徹顯之而不能解脫則終身爲廢人雖幸免爲廢人或幽潛於神髓傳於胎孕而爲遺毒雖然是毒從來因沴氣有形一種之傳染故避則必免不避則冒

## 疥源

疥之名所由來者尙矣然古今其疾三種而其名一也古者隔日一發之瘧謂之疥秦漢以降以肌膚癬蠡如鱗介似癬而無匡郭狀類於癩者槩謂之疥古方書所謂瘡疥疥瘍疥瘻疥瘙痂疥蟲疥疥蟲神農本艸

疥蟲。疥瘑。蝸疥。名醫別錄瘑疥。肘後方大疥。水疥。乾疥。溼疥。馬疥。病源候論疥疽。冬疥。風疥。疪疥。千金方牛疥。證類本艸是也。後世別傳一種之異病。而都鄙老少相染者。同呼謂之疥。所謂暴疥。證治準繩手疥。醫學綱目砂疥。醫學入門細疥瘡。秘方集驗砂瘡。明醫指掌圖是也。如萬病回春。謂牛皮疥癩。濫名也。如聖劑總錄。謂赤黑丹疥。或痒或燥。不急治。遍身即死者。則赤遊火丹之種類。非古方書之疥。又非後世之疥。是皆溷證濫名。醫流之一大痼癖也。後世之疥者。古之所無。而從異域傳來。無亦異乎痘痳黴之傳來耳。按疥字。从疒从介。介古作尒。从人从八。八者。

別也。从介于中間之象也。故曰。隔也。閒也。古介于賓主之間。助禮儀謂之介。言介居于中間。不改其操也。易所謂介于石。詩所謂介福。傳所謂偪介等。堅確不抜之義。皆本于此矣。故从疒爲閒日期時。病操不改之病名。蓋古訓也。後轉取意介冑鱗介。呼肌膚瘯蠡者。稱之疥。按以疥爲瘡。始見於國語。云齊魯譬之疾。疥癬也。唐啖助嘗有言曰。左氏傳國語屬綴不倫。序事乖剌。非一人之所爲矣。德亦以惟。漢儒攈摭史策之殘逸。擬作左氏之國語矣。左氏傳曰。齊侯疥遂痁。痁。有熱瘧也。遂之爲言。序成其事也。以文理推之。非瘖變爲痁。明矣。梁王讀遂字以謂。疥當作痎。痎二日一發瘧也。是說。蓋本于說文。痎二日一發瘧。疥搔也之謬。註。按素問瘧論。初說痎瘧。其下有是以日作之辭。而後自聞日。次第說及諸瘧。是則痎之日作瘧者。分明也。註家或爲總稱。誤矣。病源候論。爲日作瘧者。與經文符合。若朱丹溪。虞天民。盧廉夫。盧祖常等。謂老瘧久瘧。不足掛齒牙矣。按痎字从疒从亥。亥者辰名。陰陽之來往。寒熱之消長。莫一日不由于斯也。故从疒。爲寒熱日作之瘧名。字義自通。由是觀之。非左氏傳誤字。疥者原隔日一發瘧之名。是景侯初痎疥。

得隔日視政事遂加重爲痞期年而不愈所以欲誅祝史也凡諸瘧中間日者在十之八九雖患諸瘧者先患間日而後成諸瘧素問所論何有名于痎之寡者而多者反無名邪若痞字亦亡矣要之古者日作名瘧隔日名痎先寒名寒瘧先熱名溫瘧單熱名癉瘧其他三日一發發作無時晝夜煩熱瘧母牡瘧勞瘧妖瘧久年不愈等謂之痞瘧名盡矣門生問曰靈樞經脉篇云實則筋弛虛則生肬小者如指痂疥其奈此經文何對曰所謂小者疣之小者巢元方謂疣目薛立齋謂小疣子如鼠乳者是也而譬之疥瘡不

唯其窮於譬喻之物辭氣亦自足見其支吾是豈古言乎凡醫書之踈文字字書之畧醫事古今之通弊況素靈之係擬作謬妄豈止于此乎雖然聖言之存如金銕之在灰燼中其在擇之嗟醫藥之書始皇尚愛之而奚不傳顧斯道之滅息有甚於秦火者乎若神農本艸諸疥先哲既駁此書以載後漢之地名爲後人修飾之書德不敢贅論焉禮記月令曰仲冬行春令則蝗蟲爲敗水泉咸竭民多疥癘言瘧與疫並行也不謂瘧疫者舉其多與酷也疥者瘧之多者也癘者疫之酷者也後人訛讀此文以爲癘者癩也疥

者疥瘡也遂通用癘厲癩三字溷淆病名其誤皆本于此矣左氏傳曰癘疾不降民不夭札癘之為疫不須言而明矣若素問風論謂癩為癘風或名寒熱後人之詐妄古何癩疫同字耶周禮天官疾醫曰掌養萬民之疾病四時皆有癘疾春時有痟首疾夏時有痒疥疾秋時有瘧寒疾冬時有嗽上氣疾所謂諸證大槩輕疾唯急者寒疾耳雖則為急者何特秋時耶凡四時之癘疾有甚於是者為拯急而濟綴之為德於古之禮典不能知之然先王掌養萬民之疾病豈如是乎顧周禮之補綴亦必成乎漢儒之手矣按以

痒爲搔癢之疾。固非古訓。痒字从疒从羊。羊性善群。屬南方火。以癙爲病。故从疒。熱疫也。詩曰。天降喪亂。滅我立王。降此蟊賊。稼穡卒痒。豈謂搔癢乎。言稼穡爲蟊賊萎絶。猶民之爲疫癘夭亡也。又曰。憂心京京。哀我小心。癙憂以痒。亦豈謂搔癢耶。如周禮痒疥。須稽索之。以辨其誤矣。禮記内則曰。問衣燠寒。疾痛苛癢。而敬抑搔之。古用搔癢字。可以見也。是皆古之疥與中古之疥同名異疾之證也。又中古之疥與後世之疥異也。何則古方書。謂疥者。必曰瘑。曰疽。曰蟲。曰蝨。曰風。曰馬。曰瘻。或與癬列名。與癩連稱。專說疾之形狀而未嘗論傳染之病因偏稟敷汞粉雄硫礜礬之類徒壓殺其毒耳倘施之於今之疥也者則毒氣內攻可立而見今之疥者發而愈伏而苦乃人之所知也是卽中古之疥與後世之疥同名異疾之證也後世醫流不會此義斷然曰屬脾經溼毒積熱或肝經血熱風熱或腎經陰虛發熱（外科樞要）或曰風毒客於肌膚其浮淺者爲疥深沈者爲癬（證治準繩）槩諸方書所說亦此類耳皆是不曉此毒全因傳染固非時令風溼之所發而曰熱曰溼曰風曰血更分布數經謾言風毒之淺深爲疥爲癬風毒何限此二者哉古者無

今之所謂疥者。故其字亦無。傳來之初。誤認病狀之似。謂之疥。既爲天下通稱。於今不可改。顧此毒之傳。蓋在于唐以降乎。縱彼邦自古而有之。於我日本。無有焉。按和名抄。天曆中源順著訓疥癩曰巴多却。膚訓巴多、氣訓却、依是觀之。天曆時。未有今之疥也者。肌膚瘯蠡總稱巴多却。今之疥者。通稱肥前瘡。肥前俗號曰小瘡。諱國名也。以其初起於肥前。故名肥前瘡。猶起於虜者。名虜瘡。起於斯幫私者。名斯幫私扑屆。起於廣東者。名廣東瘡也。肥州古稱肥諸骨尼。後分界前後。尚稱肥諸密的諸骨的諸骨尼。然則今云疥者。肥州分界而後。從海外傳。彌蔓于海內。無異痘痳癥之傳來也。明矣。是固非時氣風溼之所發。全因沴氣一種之傳染。故避則必免。不避則冒。

斷毒論卷之上終

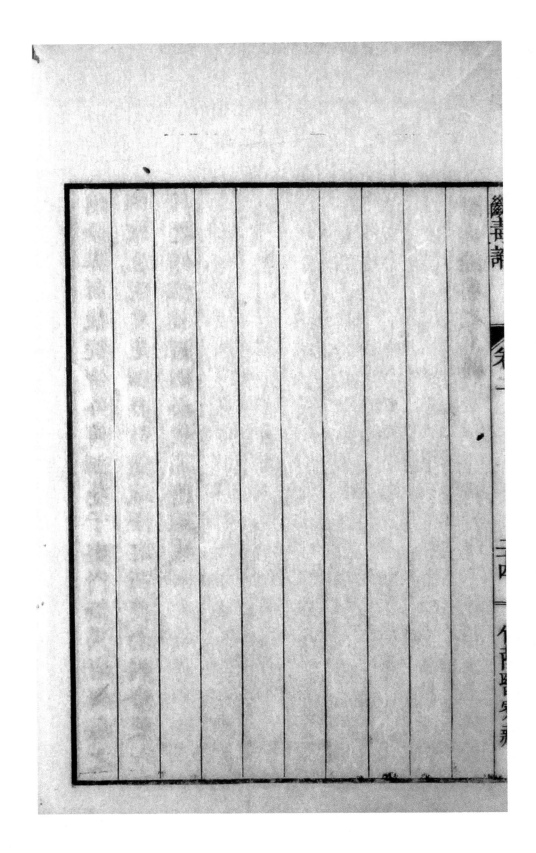

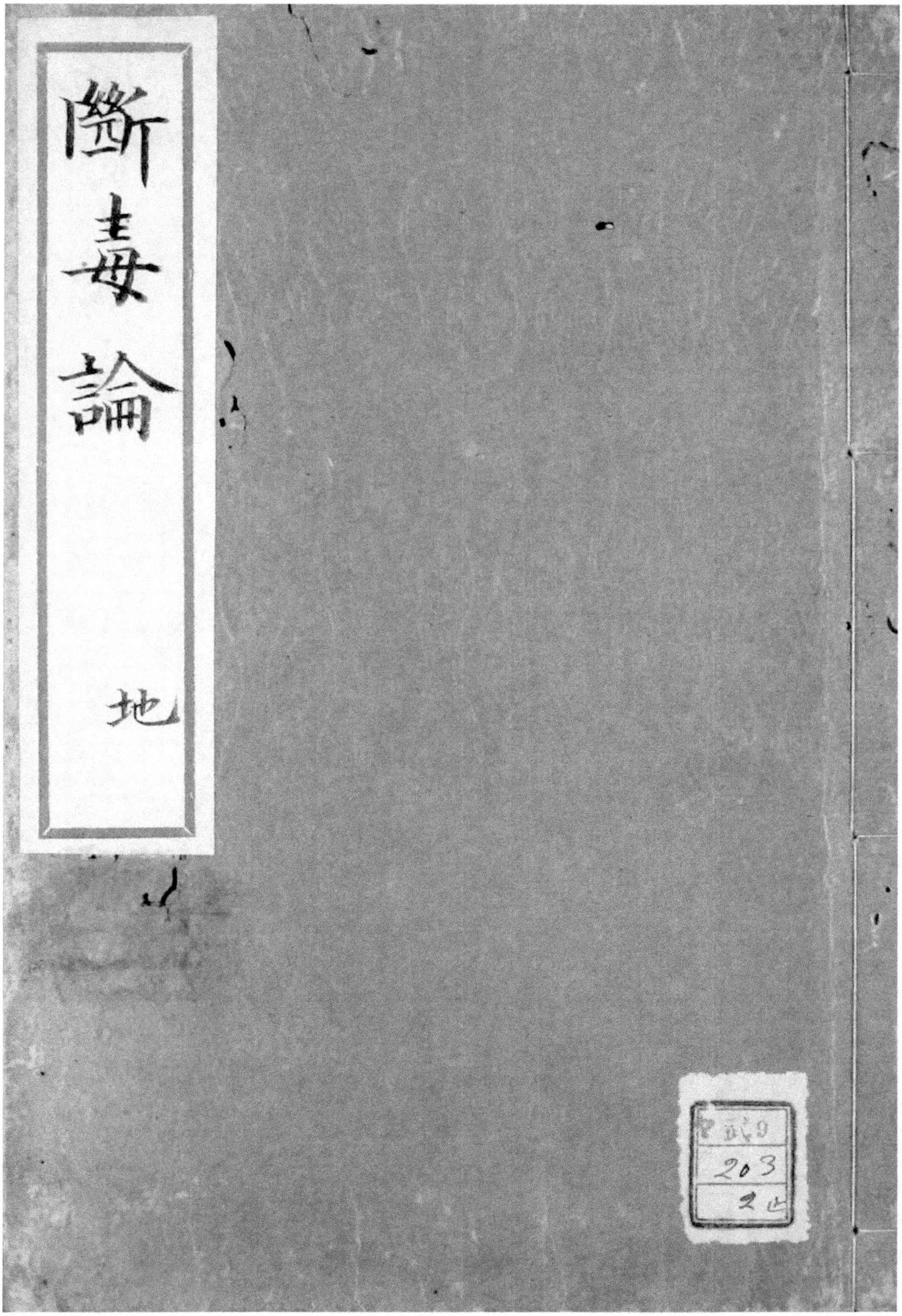
斷毒論
地
203

203

# 斷毒論卷之下

甲斐　橋本德伯壽著
江戸　溝部益有山閲
男　橋本保節
門人　田中見龍　川手見貞　有泉見淑　仝校

## 方土異氣

醫宗金鑑曰。上古無痘。性淳樸。中古有痘。情慾恣。世以爲通論。德以爲不通之論也。蓋上古之人。情亦猶今也。倘爲上古之人盡淳樸。則堯舜之德似長物。堯舜也邈矣。東周以降及秦漢。未有患痘者也。痘者異土一種之毒氣。體於人而傳流萬國。豈情慾之所爲乎。凡陰陽沴氣之爲毒。先在其土而體於人。如江南九十九注嶺南瘴氣東間溪毒番沙等。皆方土之邪毒也。

本邦關東有一奇疾。行路無故蹶僵。不自爲意。起而行。數十百步而始見鮮血流滴霑屐好肉橫裂露骨。其所毀傷。多在膝蓋。俗名曰迦摩乙多的。此毒關西之所罕。諸方書亦所不見。地氣之使然者。豈不亦奇乎。凡毒氣之體於物。水土。霧露。金石。艸木。魚虫。羽毛。皆與焉。至如夫射工水弩之類。肘後方云。江南有射工毒蟲。一名短狐。一名蜮。常在山間水中。人行及水浴。此蟲口中橫骨狀如角弩。即以射人形影。則病。春秋云。秋有蜮。武備志云飛絲毒是也本邦筑摩水邊有射工俗名曰都都毛土人云旱歲多水歲無蓋此蟲爲洪水流失也則造化變態地氣所使奇而不測也況萬國之廣莫生何等之邪毒亦不可得而測也但其有無則地氣之所使也而以彼有移于此則此地亦有之然其氣與地氣不和則亡猶徙江南之橘於江北也活幼心法論胡地無痘云胡地極寒其人無屋居鮮火食冒風霜犯氷雪腠理秘密如禽獸藉使胡人腠理秘密安能等於皮革之類邪若與禽獸同類則入于中國何患乎痘至其謂有胎毒當爲別證不能宣發於肌膚而爲痘固不通之論也若痘毒不宜發於肌膚入

無生路。若是則中原不動干戈而瘴毒幾滅胡種乎。不堪抱腹也。凡沴氣之犯人身不入於腠理亦能入於口鼻。故雖重貂累蓐未必能防外邪。以氣之於口鼻親於腠理也。是故痘之入於口鼻亦便於腠理。視彼種痘於鼻孔便於借衣被可爲徵矣。吳有可云、瘟疫特從口鼻而入、僻説也、人之在氣中、猶魚之在水中、其邪毒之侵人、豈擇肌膚與口鼻哉、由是觀之胡地之無痘。以避而不染也。雖極寒北地之人不避必染焉。蝦夷在北海極寒、其俗嚴冬短褐徒跣、然不爲腠理如禽獸、其地無痘、固以避之之切也、不特痘爲然。傳染之毒氣皆然矣。瘟疫論曰。至于瓜瓤瘟。衆人嘔血暴下、俗名爲瓜瓤瘟、探頭瘟、疙瘩瘟。衆人瘿痎、俗名爲疙瘩瘟、按、痎疑核之誤

也、緩者。朝發夕死。急者。頃刻而亡。此又諸疫之最重
者。幸而幾百年來。罕有之。德熟惟。此亦非中原地氣
之所爲。方外之惡毒異氣。其行有時乎。傳入中原者
而已。張氏醫通。番沙門云。此疾起於漠北。流入中原。
故以番沙目之。此則觸冒惡毒異氣。嗟乎異域之生
惡毒。何如是乎。倘此毒傳來
本邦。則更加重生民之一大害哉。竊按。古昔從海外
傳來乎
本邦之毒氣。亦不爲少。何以謂之。三代實錄云。貞觀
十四年。正月廿日。辛卯。是日京邑。欬逆病發。死亡者

多人間言渤海客來異土毒氣之使然也又延長元年正曆四年久安六年嘉曆三年亦大流行殘害生民其事見于扶桑略記日本記略本朝世紀櫻雲記等之書其所記死喪之甚全不類後世時行效也意者是等亦非

本邦地氣之所爲矣我

日本磐居于大洋陰陽中和山海利潤原田肥沃稼禾豐饒人物英俊甲於萬國實得天地之至精是故惡毒異氣之疾皆成于沴氣凝結之戎狄而非

本邦地氣之所爲也然易染之者則以稟天地精英

之氣與天地相參也苟爲人身者孰不感應天地之氣哉方今見患痘者未別性之淳樸與情慾近則染避則免縱使聖人生於今之世爭得不避而免乎痘者原非情慾之所使其傳染之不熄譬猶火之燎于林沴氣一至自異域若始鑽燧以人身爲柴薪愈然愈熾千歲之餘焰未滅延及萬國者也

## 形質

方土殊疾也某地有某氣而爲某疾無疑焉因知萬病盡區別可爲某病者於氣中而後感某人爲某病顯某形質焉依是推之雖人未感之先持爲之形質

於氣中也萬之形質疑似者多就中傷寒中風其最者也仲景憂爲醫者眩惑其疑似害人著傷寒論辨別二病論說明白實萬世之摸範也然古今醫家率皆失仲景之旨意以爲寒氣傷人爲傷寒爲中風爲溫病本只一氣非他邪也遂以傷寒中風分陰陽分營衛分輕重分虛實分淺深其弊至無曉疾病因何殊形質因何傳于人矣究竟其意本于素問所謂風之傷人也或爲寒熱或爲熱中或爲寒中或爲癘風或爲偏枯或爲風也者因以爲寒甚於風其中人亦變化無窮非矣雖曰風之傷人乎非可傷之氣則不

傷。若無故傷人。則無人而免者焉。其傷人者。風寒中
之沴氣也。後世醫流。不曉之。第爲寒特傷人者。誤矣。
至其謂冬傷於寒。春必病溫。則凡人之言。固不與聖
言類。從此說。則遇寒冽太過之年。無傷寒流行。則窮
矣。其明年無溫病。亦窮矣。非其時而有其病。亦復窮
矣。嗚乎。聖言者。萬世之所法。而何其窮甚矣乎。夫寒
暑溫涼。天地之常氣。原不傷人。是故寒氣太過。未必
有傷寒之疫。適四氣順和之年。反有非常之癘疾。自
去年文化己巳之冬。至今年庚午之春。凜冽太過。木
摧石裂。老者皆云。七十年來所不有。然今已初冬。民

開之疾。與平世無異。政是足懲冬傷於寒、春必病溫之謬妄。而證氣中別有傷人之沴氣矣。沴氣無數。不遑枚舉。約之。或傷寒。或中風。或溫病。或中暑。或中溼。或霍亂。或瘧疾。或痢疾。或欬逆。或脚氣。或癰瘍腫。或斑疹。或丹毒。或目疾。或咽痛。或痧。或痘。或痳。或癥。或疥。皆區別形質於氣中。是以中人則古今後來。絫絫不變定分。傳于人者。役役等其形質。原陰陽造化之所爲。與萬物先未形。胚胎形質於冥冥。無異也。即便譬之艸木先未種。胚胎形質於子實焉。子實之形質。人之所能視。而於氣中之形質。則未形之形。猶無鏡之影。人奚得視之。雖則不得視乎。猶能知之。何以知之。當煦之於傳染之疾而知焉。覽疾之自彼傳于此。雖咫尺。氣輸來其毒。不知不識。入口鼻襲肌膚。則彼之病。悖焉出現于此。恰如竊西家之果。種於東家矣。當其毒客行於氣中。則雖人之所不視。不具形質於氣中而何也。豈特以彼傳于此者爲然乎。雖未體於人之邪。先區別之於氣中。有氣中之區別之故。每體於人。各持定分。以殊其形質。時多其氣。則多其病。多者曰疫疾。寡者曰襍病。只見其氣之體於人而曰某證。命某名。證之與名所因。則疾病之形質也。察

其形質。分其方法。即仲景之旨意也。倘果謂氣之
風寒入身中。倏焉變爲諸病。則幾乎謂陰陽之所爲。
如狂夫之行態無常。豈不悖哉。或人曰。吾子以果實
比喩氣中之邪。果實爲物。形質已成。邪氣未感入。猶
未鑽燧火。火鑽燧而後然。邪感入而後病。如謂先未
感。有疾病之形質。猶謂有未燧火然於虗空。豈可乎
哉。德應之曰。果謂不鑽燧無火。則奈肉之爲餔何。肉
之爲餔。氣中之火炙之也。人之感邪。氣中之疾冒之
也。火先未燧而燠。邪先未感而形。亦何異果實哉。是
皆造化之神妙。先未然。已持其形質也。豈可謂爲未

親視之。氣中之火不溫煥。氣中之邪無形質哉。德是以曰。非一氣之風寒入身中。倏焉變爲諸病。先入之未感。萬病之形質有區別。以客行於氣中。來而甲坼于身中。於是先定之形質。始築見於目。證之與名。由是而定焉。方法由是而分焉。

## 或難

或難曰。仲景以傷寒爲病因。故目其書。若謂傷寒中風溫病之形質從來區別於氣中。則恐戾仲景之旨。

對曰。否。覽夫傷寒論家之說傷寒中風。以陰陽營衛輕重淺深者。則窮於厥陰之中風。以虛實者。則窮於傷寒有虛。證之於傷寒脉浮虛而濇者、桂枝附子湯主之、中風有實。證之於下利嘔逆、表解裏未和者、十棗湯主之、德是以常言。以陰陽營衛輕重淺深虛實。談傷寒中風者。則未足與語仲景之旨也。仲景論說傷寒中風。極丁寧深切者。則恐取迷於其形質之疑似也。熟按傷寒論中。冠傷寒中風於其語者。必有故。是故中風疑似於傷寒者。則曰形作傷寒。其脉不弦緊而弱。傷寒疑似於中風者。則曰傷寒脉浮自汗出。其他陰證及婦人。皆分別之。通編所論。切于此者。則以本來形質之殊別也。不獨傷寒中風。如太陽篇云。風溼相搏。亦非傷寒變爲風溼之謂。亦非風溼直爲病之謂。風者指無形之邪。淫者指水氣不行。唯取其象名之耳。何則虛空有風。人呼吸之。地中有水淫潤秀茁。陰陽之和。生生之本。寧爲疾病哉。果謂淫傷人爲一病名。則涼不亦不傷人爲一病名也。涼者。確乎四氣之一。而有唯溫病之名。何無涼病之名乎。是原無故。以無可名涼病者也。是以可知曰傷寒曰中風曰溫病曰中暑曰中淫。皆取其象名之也。古今醫家粘着風寒二字。以爲常氣傷人。其惑深矣。至明末。延陵吳有性。適知瘟疫之匹別於氣中。以爲闢古人所未發。然云。傷寒與中暑。感天地之常氣。疫者。感天地之厲氣。是亦未知萬之沴氣區別於冥冥爲萬病。惜哉知其一。而未知其二也。凡天地之間。陽氣漸則熱。退則寒。氣動則風。寒熱風之中。萬之沴氣。散聚無常。然非入觸寒熱風。則未嘗能知覺沴氣之爲病。而其觸入也。寒氣最著。人自取著者。爲病名。仲景亦依舊爲書目。豈爲病因之旨哉。古錄諸動植。目之爲本艸。艸豈金石羽毛鱗介之本乎。又難曰。如痓溼暍門。云傷寒所致。痓溼暍。則不可誣之。對曰。溼者。已證於無涼病。如痓暍。亦所不足言也。然試言之。痓者。口噤背反張。得之死血走于經。故未嘗有無血證病痓者。傷寒固不與焉。是皆王叔和之所羼。善讀傷寒論者。孰取六經之外哉。又難曰。風寒襲人。則卒然肌膚戰寒。自覺風寒之入于此。縱令別有沴氣爲病。風寒不亦不爲病。果風寒不傷人。則衣被無益于身歟。對曰。於冥冥之沴氣。猶於戰陣之兵刃。人常驅馳于其際。若夫衣被不適。饑乏疲勞者。猶脱甲衝戰陣危哉。然食不飽糟糠。倮裎涉嚴冬。未必病傷寒。雖適其度者。或時沴氣襲之。長途履雪者。爛肉鑠指。亦未必病傷寒。其肌膚戰寒。與骨肉爛鑠。孰乎爲暴。孰乎爲緩。其徹于骨。與觸于肌。孰乎爲親。孰乎爲疎。可知傷人者。非戰寒之寒。別有可傷之沴氣也。數人侵寒夜行。戰寒等役身。然亦不等病。于此病之。非于此冒之。縱令于此冒之。未得直發。經時累日。邪氣漸致。過行經絡。正氣始失其度。於是乎戰寒始起。則人以爲風寒之入于此也。試取痘痂挿鼻孔。其兒必感痘。然亦未得直發。毫不知覺其毒之在身中。或四五日。或八九日。有時肌膚戰寒。而後發痘。其戰寒。亦全無異爲風寒之入于此也。其累日而後戰寒者。則痘毒漸過行經絡。正氣失其度時也。是亦得謂風寒發痘乎。取毒藥灌口。不如引索絞喉。把刀刎頸。酷毒有形者。尚不以漸不傷人。而況於無形之沴氣入身中。而後爲病者乎。仲景所謂。嗇嗇惡寒。淅淅惡風者。則非風寒入于此之謂。亦非以風寒爲病因之謂。第舉傷寒中風溫病三者。辨其形質。論其機變。以示治療之次序。定方之要領。爲推擴此旨及萬病而已矣。又難曰。吾子已云。有癥毒潛伏爲痼者。是卽入身中而後變也。然則謂冬傷於寒。春必病溫。不亦宜哉。對曰。否。邪氣入身中。與正氣戰。名之曰疾。雖邪氣入身中。不與正氣戰。則形容脈食。不差平常。雖聖智。何以得謂某病。邪未得謂某病。何以得謂之變焉。縱謂冬傷於寒。當未病溫。豈得知寒邪之有無邪。是固凡人之言。詰問則倍窘窮爾。如癥之爲癇。其毒已顯。復潛襲癇之部署。能察其機變。乘其有間。伐癥毒。則擾亂自治。如逆狀急迫。先擊其癇者。醫家臨機之操切耳。縱令得治之。未屠殫癥之姦毒。則如其後患何。不唯癥爲然。痘發驚搐。癇爲痢疾。疥爲水腫之類。其他萬病變爲壞證者。皆然矣。其對已病。猶且爲機變所眩惑。況於目之未能視者乎。不可不察也。

## 內外

或問曰。外因之疾。暫聞其說。然有外不爲邪襲。內無飲食憂思勞碌之過。而疾者。何也。對曰。雖內有疾病之因。外無邪氣之應。未嘗有爲疾者也。是故雖癥癖喘欬之宿患。休作多期時。其內外邪毒之感應。猶聲與響乎。人身具五音。萬物亦具之。故人聲從內動。則谿谷響應於外。管弦鳴於外。則聲音詠從內和。其發於內。與從外來。前後之分。其捷一也。聲響發於呼吸之激動。疾病起於沴氣之觸冒。人身自原天地之內。陰陽之所逼。譬之猶荒蕪之一屋。何不怪外之沴亂。而特怪沴亂于內者乎。

## 天稟毒氣

夫人身之感應於萬物皆先天之所成與後天之所
有和也其和也倏忽蕩心神表形色故耳之於音也
聞宮則知宮聞羽則知羽能知之者則其音先在身
中而與外和也不唯耳之於音而已目之於色鼻之
於臭口之於味悉二儀之幽妙成於未生化於已生
不唯音色臭味而已萬邪萬毒盡具於人之身中是
即所以人之疾多於禽獸而亦靈於禽獸也禽獸之
所不具人能具焉顧其氣成於陰陽交化之先萌於
分娩生育之後故非邪毒倏焉來病人其氣已在身
中而與外相應也若夫身中無毒則觸其氣而生涯

不患其疾。譬之天稟無律之人。生涯學絃歌。未能和節矣。音之與疾。同是二儀之造化。人身之所感動。孰其有別焉。可知人身之疾與不疾。必因于其天稟也矣。

## 有毒無毒

人之生也。各殊壽夭強弱疾病之有無輕重多少。其殊者何也。天稟之毒氣也。人殊其毒氣之有無厚薄多少。故殊其疾病之有無輕重多少也。但當其平常無故之時。則不可得知之。然而至一觸物同氣感動。則其有無厚薄多少。可目擊而知也。其見證。凡苦毒手。及漆之發疹等。是也。爪苦毒手。能攫諸蛇。俗稱蠨蠏都加蜇、使之挼出積痺痛、則愈、煎服爪亦得、靈樞具有試方、又易感漆者。立其下風必感。是天稟毒氣之所爲也。我邑信田彥五郎者。性極易感漆。一夜夢過于榛樹下。忽有人伐之。樹仆撲肋骨。覺後俄發疹於其撲處。不亦奇乎。德深疑之。因佯以膏爲漆。試塗其肋骨。渠恐怖忿怒。罵曰。死奴殺人。德於是慌忙逃去。而竊候其發疹否。無毫有應驗矣。時德弱冠未曉事理。愈深疑而置諸心閒數年。不得已。乃慇懃謝前事。而問每夢漆發疹否。則云。性恐漆。故夢之亦數回。然發疹者。唯昔日耳。德於是恩之。

有時微觸漆而未至擾氣血忽値夢裡神氣之感而宿毒始發揚也若不然則膏之似漆恐怖甚於夢中何不發疹邪是原天稟有毒之人至感其氣則有駛於硝火者也惟天稟無毒之人反之我峽中多漆季春採嫩葉食之甘脆可啖德性嗜之行血溫體頗有益于身夢之而發疹食之而無毒亦天稟之所爲何異乎終身不患痘痳者與偕老於癮疥而不傳染者哉覽夫對酒人或舉斗杯而不辭或嘗淋滴而氣衝心卽非天稟而何哉奇矣夫天稟之有毒無毒也然其有無也不可豫知之故剛壯肥大未必壽短小羸

弱未必夭。蓋天稟無毒者。則雖逸勞過度膏粱飽食。而莫有不虞之疾。所謂盜跖之壽是也。若天稟有毒者。則雖寢處以時。飲食有節。或嬰不測之患。所謂伯牛之病是也。是以聖人歸之於命。天稟之所爲。人力不可及也。凡天之所爲。謂之天命。人之自取。謂之非命。然今之病者。多非命也。故人之疾病。其氣先在于內。而應於外。然日愼一日。以禦之。則可能終其天年。若使天稟有毒者犯之。猶薪之得油。其炎愈益熾矣。經曰。膏粱之變。足生大丁。此之謂也。而況於媟近于惡毒傳染之疾。自取菑害者乎。

毒氣和不和

邪毒之入人身也。有直顯者。有久伏者。氣之所爲。最不測也。嘗覽噬於瘈狗之人。瘡口既愈之後。久者一年。如二三年。自己不覺有宿患。一朝正氣失常。則毒氣激烈。蓄孽始見焉。於是熱氣如灼。煩躁狂躍。叫吼如犬。非早治之於噬時。則萬無一生。身中之宿毒。其甚如是。而不自知者。則毒氣與正氣和也。於萬病顯伏之緩急。亦莫不悉因於毒氣與正氣和不和也。如痘最與正氣逆爭。故當感其氣毒之發顯。不出旬日之外。及其起脹之時。若毫陷于裏。則下利如河堤之潰利不止則斃矣以故權與澀藥下利休正氣持則毒氣復歸于經絡湊于骨節流注潰膿萬倍於痘漿不然則上攻胸膈喘滿息迫或失明或牙疳變證不可槩舉也是其毒氣不能斯須與正氣和融而在身中非外則內必發洩而息其與正氣相逆猶水火之相敵火勝則水涸水勝則火滅也痲者發表內陷順逆之勢彷彿於痘但有少異者餘毒凝於肌膚者爲瘯蠡結於經絡者超歲發癰疽凝於肺者久欬難愈是其毒氣以緩於痘與正氣和融也癥者最與正氣和融而易內陷雖則內陷不攻臟腑不傷氣分專潛

伏於筋骨膏腴。經數年而似無病者矣。或時發動。則其害無窮。其數年伏於身中。而不疢者。以毒氣與正氣易和也。以疥比痘痳癥。則毒氣最薄。所害亦少。縱措而不療。有時能愈。雖然。冷泉敷藥。誤其治方。內攻膀胱。則水脹喘滿。伏於肉裏。則彌歲患流注。凝於筋骨。則後年作歷節腫痛。滯於肌膚。則時起時潛。亦毒氣與正氣易和故也。俗諺云。疥三年。此病當愈之大緊。與痘痳之愈。唯緩急之分耳。萬病各殊緩急者。則由毒氣與正氣和不和也。

定分

造化之成物。必有定分。疾病亦造化之物。其成也必有定分。如痘之粒粒灌膿結痂。瘧之先寒後熱發汗。其定分也。於萬病亦各有定分。其解亦各有定分。或從汗而解。或從吐而解。或從下而解。或從尿而解。或從膿而解。或從血而解。或從氣而解。逸樂療瘵、恐驚截瘧、祈禱神符、有應驗之類、皆因氣之感動焉。爲醫者第要能知其定分。若夫不知定分者。則必有欲使痘無膿。使瘧無汗之過。能知其定分者。則使痘灌膿。使瘧發汗。如是而後得察其病之變化。不得察其變化。何以得斷其治不治耶。故我門以知疾病之定分。爲醫之第一義也。

一生一患

痘痲之一生一患。舉世識之。唯識其一生一患。而未識其所以不再患也。不識其所以不再患者。則由未識萬病亦一生一患。與萬物必一生一死。其理之一也。夫錢陳二氏之謬説。先入爲心主。以蔽塞耳目。恰如聾瞽之於聲色。率爾從他人之所指示矣。凡人身一發天稟之毒氣。則其氣脱然消滅。猶銃火一發絶熖氣也。唯其消滅之有緩急。猶薪火炭火之分也。痘痲者。毒氣最酷烈。不與正氣和。故刻日而決凶吉。發竭天稟之毒。是以人識其一生一患也。癥疥者與正氣和。故荏苒延日。顯伏無常。使人眩惑於所見。是以不識其一生一患也。熟視世之黴家藥餌禁忌。俱得其宜。能竭其毒者。則雖復犯其氣。而不再染。是以術術之徒。皆謂病而後就安也。雖治方不得其宜。正氣勝毒氣者。自發於九竅。穿於肢體。天稟之毒。解脫於此。如是者。亦不再染。雖適有似再染者。不發便毒楊梅等之表證。必苦於筋骨疼痛。下疳。漏瘻。鼻蝕。喉癬。耳聾失明等之裏證。是則似再染而非再染。從來痼毒之發動者也。痳亦能發竭其毒。則不再染。間見似再染者。皆曩昔不發竭毒氣之人而已。由是觀之。瘡痲瘄疥。共一生一患之病也。明矣。不唯痘痲瘄疥而已。目前一生一患之病。亦不爲少矣。若夫蝦蟇瘟。瘟疫論云、或時衆人咽痛、或時音啞、俗名爲蝦蟇瘟、痄腮。一名傷寒發頤、外科正宗爲二病、外科樞要爲一病、大頭瘟瘟疫論云、或時衆人發頤、或時衆人頭面浮腫、俗名爲大頭瘟、按日本記畧云、天德三年、十二月、廿五日、今年人民頭腫、世號福來病、長元二年、十月廿二日、丁未、自去月至今月、京中人病頭腫、世謂之福來病、蓋是也、等。是也。觀世之患痄頤大頭瘟蝦蟇瘟等者。大抵在幼與壯。間老年適病之者。有昔時亦患之否。則云。無有也。若小兒欬疫。則斷不在於老壯也。然世人視小兒特患之。斷然以爲非老壯之疾也。凡萬病罹二儀之沴氣。原無老少之別。是故瘄瘡爲淫恥之疾。倘能傳於孩提之兒。痘瘡爲小兒之病。倘能滲於幾死之老。其斷然爲小兒之病者。則早解脫天稟之毒也。其老而疾小兒之病者。則晚發顯天稟之毒也。其他白禿頭瘡。赤遊丹毒。驚風。醫家或與大人之癇、混同病因、誤也、水痘。此證多在于痘前、又有當痘之初熱、先發之者、有施種痘、不應而發之者、醫家名爲樣痘、三種同類、意者先痘痘毒鬧常氣、猶鱗淪之先於疾風逆浪乎、欬疫。俗名爲百日欬、是亦一種之沴氣、其證與大人欬嗽逈別、鵞口。顋癰滯頤等。諸方書。斷爲小兒之疾者。亦目前一生一患之疾也。門生問曰。痘痳之一生一患。不待師說知之。以癥疥疿腮太頭蝦蟇瘟百日欬白禿丹毒驚風水痘鵞口顋癰滯頤之類。緊爲一生一患之疾亦似焉唯漆疹之有形尋常感冒之無形及癥瘕肚痛終身數回患之無盡者何也對曰畏漆氣者雖冒之聊動肌表未足以渙散天稟之痼毒然覽數回冒之者發疹次第減毒氣遂消矣如是者則以漸解脫天稟之毒也本州飯富村農夫儀左衛門者每採柴薪冒漆氣妨生産仍常憂之有人教曰啖漆葉一回能解脫其毒即便採嫩葉充下飯須臾發疹熳腫遍于口喉便道當其熾乃煩躁譫言直視便血不省人事殆欲死焉累日而僅得解爾後絶無漆患如是者豈可謂非一生一患乎若夫尋常

感冒徒鬪表氣。癥瘕肚痛。時作蠢動。猶微風之起淪漪。未足以舉水底之汚泥也。縱令生涯百患之。豈得解脫天稟之毒氣哉。夫天稟之毒也。深矣邃矣。難矣哉。解脫之也。如非一羅其毒。而氣血擾亂。骨肉動搖。殆入于不測之境。則爭得解脫其深邃者哉。雖天行時疫無形之邪。數行汗下。疏通表裏。灌濯氣血。而邪氣一潰散。則終身不復患之。況於其他乎。但以冥冥之沴氣無量。解脫此毒。亦有彼毒。是以人皆取遂於其似者。未曾有覺悟萬病一生一患者也。凡天地之生生萬物。一死而不再生。如其蘇生。乃元氣之未殫也。人身天稟之毒氣。一竭而不再發。與萬物之一生一死。同是二儀之造化。豈不一其理哉。世人不識萬病有各各之形質。毒氣之和不和。而爲數回之患。特見痘痳二病之一生一患。以比萬病爲奇甚也。嗚呼。曾子所謂不在焉之心也矣夫。

諸家病源

凡說病源也。猶擇絲之端緒。一繆之則百縷紛糾。纏結終難解矣。自東晉至隋唐。未審痘痳之病源。及宋錢陳二氏更繆之。其紛結益甚。其後醫流數十百家。或遵舊說。或縱臆說。曰胎毒。曰天行疫癘。曰慾火。曰淫火。曰食毒。曰穢血。曰三穢液毒。曰情慾作瘂。曰淫溢勝復。曰瘂胎毒痳風邪。論辨紛紛。無歸一之說。使人不知其所適從矣。德欲觿解其繳結。先矯錢陳二氏之紕繆。錢仲陽曰。小兒在胎。食五臟血穢。伏於命門。若遇天行時熱。或乳食所傷。或驚恐所觸。則其毒當出。陳文仲曰。母之食毒。傳胞胎之中。此毒發爲瘡疹。名三穢液毒。二氏所說異途同歸。自有此說。後世醫流。欲抽其亂縷。舉機杼。難哉。夫兒之在子宮也。有神而無情識。有眼而不瞻視。有口而不飲食。白膜包而如卵。母之氣血。從胞衣通臍帶。直達肚中。以育其體。何食之有。其謂食血穢固臆測。亦如洞視命門。殊可疑矣。陳文仲所謂五臟六腑穢液之毒。發為水泡瘡。皮膜筋肉穢液之毒。發為膿水泡瘡。氣血骨髓穢液之毒。發為膿血水泡瘡者。最誣矣。何者。人身尚有呼吸。則自五臟六腑皮膜筋肉骨髓。至肌膚毛爪衣被之溫煗。莫不與氣血運行之機也。何得謂氣血骨髓穢液之毒。別發一種之膿血水泡瘡邪。果然則氣血者不與五臟六腑皮膜筋肉乎。吁。二氏者。放名於醫門。而其立說。何其無脊也。李東垣曰。小兒降生。口中尚有惡血。啼聲一發。隨吸而下。此惡血復歸命門胞中。僻於一隅。隱伏而不發。直至兒內傷乳食淫熱之氣。下陷合於腎中。二火交攻。營氣不從。逆肉裏。惡血乃發。亦抽二氏之亂縷者也。德試辨之。兒降生罕有被胎膜者。俗名之囊兒。實如卵生。剝膜而後發聲。生而被膜者。呼吸不通。豈於子宮塡實中。可含惡血於口中耶。若初生歠惡血爲痘。則此兒何患痘乎。德嘗視囊兒之患痘痳。無異於常兒矣。若或疑之。則視囊兒。而後可知其然也已。痘科鍵曰。人自幼而壯。壯而老。誰免於痘。痘聖瘡也。異哉。痘之尊稱也。痘者。每人易免。不知其易免。謾加尊稱。德於是不覺抱腹一笑。痘果聖瘡。則痲其賢瘡乎。又強傅會經論。以謂彼生父母交合之際。所受淫溢勝復之氣。與此生淫溢勝復之氣。內被外觸。然後毒發。果如是說。則特同生之兒可患。而衆兒役役相染何也。可謂不通也。孫朋來曰。淫火疫癘。不外是二者。而人之出疹出痘。正如蠶之一眠二眠三眠也。是本于萬氏之所謂蛇蛻皮龍脫骨。更華飾自己之說耳。後人亦信之以謂。如蟹脫甲蟬蛻殼也。夫龍也者。德未知之。如蛇蟹蟬蠶不遂脫皮三眠之化。則體用不成焉。人身之於痘痲。動傷容貌損生命。生殺之相反矣。唯胥壞己哉。證治準繩曰。痘疹之發顯。是天行時氣。壓市村落。互相傳染。輕則俱輕。重則俱重。雖有異於衆者。十之一二而已。豈可槩謂胎毒哉。然疫癘終身不染。比比皆是。而痘疹無一人得免。疫癘一染之後。不能保其不再染。痘疹一發不再染。則胎毒之説。又何可盡廢乎。至謂淫火穢血。古亦有之。而何獨無痘疹之患。欲以破胎毒之説。則又不然。天下之無而忽有者多矣。草有名虞美人者。虞美人。項王寵姬也。爲項王死。世哀之。爲之歌。對草倚聲。悽動而草輙搖。草無情識也。方其未有楚。則寵姬亦無。況有草邪。一切衆生。自妄顛倒。而成三界。如之。又何疑乎痘疹。是亦不明陰陽參於人身。與氣合而有形之聖言。唯取萬氏之天行正病。與胎毒内發。疑似不審之說。以首鼠兩端。謾信兒女遊戲之妄誕。忽蒼生大害之病源。以天地造化之明理。歸釋氏三界之方便。以謂何疑乎痘疹。噫以虛比虛。以疑喩疑。而置之不疑。豈不慚漆園指馬之言乎。夫醫者司命之重任。不言之則已。苟說之則能明其源。而後可醫可救矣。若不明其源。則立論定方。亦惟鑿空耳。如張介賓云。痘痲同胎毒。痲者痘之末病也。亦採端緒。而倍紛糾。夫痘也。痲也。原自異類。非相屬者也。

何者。痘毒流行之地。遇痲毒流行。則痘痲俱患。名之夾痲痘。痘中感痲。或痲中感痘。有痘重而痲輕。有痲重而痘輕。是痘自痘。而痲自痲。何謂痘之末病乎。不唯痘痲相夾而已。癥疥夾痘痲。亦然。又不特痘痲癥疥相夾而已。萬病夾萬病。亦復如是。而各有緩急輕重自然之定分。彼此不渾合。猶膏油於水也。當治之則先急後緩。是故有病。而後當定其本末。先於未病。而定本末。猶無絲而計錦之經緯。豈得不爲空論乎。又推渠所以謂痘痲同胎毒。其意爲痘痲共先天稟賦之所成也。然則胎疝胎瘤。孕癖。胡氣。一名體氣。俗云腋臭。外科正宗所謂此因父母有所傳染者又有胡胎而受生者故不脱本來之氣質是也按是等亦非本邦本來所有古傳歸化胡胎之氣也及觸漆發疹飲酒發狂之類已成於稟賦者謂之胎毒而可乎哉加之多病羸弱因於人之稟賦者其謂之胎毒又可乎哉果謂之胎毒則胎毒不一而足若不可謂之胎毒則何得謂特痘痲是胎毒邪所謂胎毒者其親之疾病與食毒遺於其兒者而已然亦有不必然者其故何也因於人之天稟也人人天稟之殊如其面是故成形於疾病之胎而不必有疾病稟氣於頑嚚之胎而不必肖頑嚚已有所必而不必其所必者則天稟也天命也天豈私於

痘痳。獨處之於胎毒哉。或人問曰。吾子以痘痳癥疥爲傳來異域之沴氣感應於人身天稟之毒氣者。當其生平無病之日。則數種之毒潛伏於何處。對曰。吁尚泥伏命門胞中之謬說。疑毒氣之所在乎。夫人身天稟之毒。於其靜和之時。則如存如亡。不在臟不在腑。行氣血氤氳之中。無色無臭。不可視不可察。譬之猶風雨於天地。如有如無。不在山不在水。行陰陽冥冥之中。人見其零而知雨。見其動而知風也。彼謂痘毒伏命門。猶謂風雨伏山澤。豈非偏僻哉。諸家皆眩錢陳無綸之說。紊條理。失綱紀。終不能明人身天稟

之毒氣與二儀之沴氣相合而成萬病之源矣是德之所以觿解諸家病源之紛糾繆結擇天稟毒氣之端緒以縫緘談胎毒者之口吻也

痘痳無臟腑之別

古今云痘發於臟痳發於腑又云痘陰而賴于血痳陽而賴于氣又視淸散之有功於痳遂爲起於陽賴於氣發於腑至視痘之溫補難任則老吃而作氣血相賴之說如朱奭偏言一火字可以盡痘疹之情或謂痘之成功賴氣痳之成功賴血熟按其意之所本覽痳之傳染流行生涯一患無與痘異以爲如雌雄

加之覽其有膿與無膿而剖判陰陽分離氣血強班
表裏之部位遂謂痘發於臟痲發於腑矣其他所說
皆無定論或謂出命門之陰陽或謂藏脾胃之間或
謂無腎之候或謂五臟俱存各立臆說以爲得之猶
指矢之所止爲鵠而誇其射也夫痲毒之侵人身也
不論輕重皆口渴不食身體偏熱表裏畢病上自七
竅食道肺管之窖竇下至腸胃膀胱胚胎之巢穴無
不發疹之處故輙腸胃爛而便血子宮崩而墮胎皆
臟中發疹之所爲如是者豈得謂發於腑起於陽乎
倘有疑則解刑人死於痲者之體而後可知之也若

龔廷賢謂六腑腸胃之熱蒸於肺未曉肺管裏面發疹也痘毒之侵入身也初必類表邪至其有故者必腹痛體疼下利嘔吐煩渴舌燥譫語狂躁惡熱熏蒸是皆陽明胃家之證如是者豈得謂發於臟起於陰乎於順證平易者未見有一點之陰證雖有四肢逆冷下利清穀胃寒吐蚘者皆平素之陽虛原不由痘之起於陰也至謂痘之成功賴氣痲之成功賴血則自欺欺人後世醫流之空論如是者多不可不察矣天行傷寒無形之邪尚賴陰陽氣血況於痘痲有形者乎蓋諸瘍之異形猶桃李之殊花豈可就其色裁

判陰陽乎凡天地之生生萬物盡二儀之幽妙未曾有一陰一陽而成形者也古不言乎生非一氣之化也長非一物之任也成非一形之功也德故曰痘痲無臟腑之別無陰陽之別矣

## 痘痲鬬氣運

古今以痘痲爲天行疫癘由其年五運六氣之化令而發德以爲非也痘痲原傳染之毒非得之於氣運時令者也熟按氣運不作痘痲痘痲反鬬氣運何者天行疫癘之行因地方沴氣之厚薄而發作消滅不定雖氣運逆戾之時不患者亦多矣痘痲也否矣非

原有傳染之由。則未嘗有遽然獨嬰此殃者也。若從他鄉傳來。則不待氣運之化令。沿門闔境戶傳家染。毒氣益鬱蒸。正氣愈沴亂。往則傳來則染。加之遭時氣之悖戾。則逆證連起。死亡無算。猶火之於疾風矣。人見其重則俱重。輕則俱輕。而以爲天行氣運之所作也。豈其然乎。氣能輸其毒耳。如疫癘則一村一鄉颮颰自發。是卽天行氣運之所作。至痘痳則未嘗有無故獨患之者。是必毒氣傳染之所爲。豈不其然乎。

德故曰。氣運不作痘痳。痘痳反關氣運。

傳染非常

毒氣之傳染於人者常也古方書所謂六畜斃豆胞瘡者非常也而此事古有而後世無者何也非氣運時令之所爲全因人事之所爲也凡人事之所爲必有古今之差氣運之所爲固無古今之別是無他以時令者天地之常而人事者世之變也目今都會坊市之犬狗瘯蠡而疥陰處者多然朱門藩中所畜者有之罕也人或以謂多食魚肉故也朱門豈乏魚肉乎是原因於食癩家之屎所謂非常之傳染也顧古之痘者老少偕病連牀並榻死亡無數腐殣相望莫地不有此氣莫氣不輸此毒矣是以其毒延及畜類

本文己詳人之初生元神混沌毒氣未凝是當使毒氣渙散之時也醫家若謀於未病則勿過是機其先姙娠夫婦之病當姙解胚胎之

是卽非常之傳染也。

同氣感應

瘟家專戒穢氣惡臭。苟冒則留不運踵也。世俗之所知。況於醫家乎。唯知其然。未知其所以然。其意謂瘟與穢氣逆爭也。夫瘟者原穢惡之毒氣。入於口鼻發于肌膚也。如他之穢氣惡臭。入於口鼻。則同氣應于內。膿漿俄然陷于裏。卽似逆而非逆也。適視赤子患瘟于產蓐中。皆稀少至順。莫有險逆者矣。在產蓐穢氣之中而無其害。已出產蓐而後觸其氣。則爲之畜。事理之相反。何唯霄壤哉。是卽非逆而相應也。何則

斷毒論　卷六　三十七　竹塗醫家藏

毒必勝於已生之後有奇方名即毒神丸令姙婦服其兒無病每姙墮胎每娩不育等極有神驗又有澡毒神丸令初生兒服之七十五日毒氣澡解於二便令兒無病有神驗矣方法具載省方類鑑

赤子之在產蓐常呼吸臭穢氣血未淨正氣未定雖感乎痘而以所爭之正氣尚微其發毒亦稀少也此赤子之所以無險逆也一出產蓐則氣血日淨月精正氣先定毒氣始分而後病痘者各爲自然之凶吉於是穢氣惡臭入於口鼻則其氣感應于內毒膿嚮于裏沒陷是即非逆而同氣相應之明理也若鑾方以胡荽之臭氣促痘毒於肌表則與熏馨香以潔其噓吸禦之內陷其事反而其理一也至夫謂痘神忌不潔之所爲則愚夫愚婦之常談豈足論哉

## 豫防

諸痘書。必先載豫防方。曰豫解痘疹之毒。所謂韓氏五瘟丹。萬氏三豆湯。代天宣化丸。朱氏消瘟丹等是也。久矣哉。醫流之説詐僞也。倘可能豫解痘毒則請試製黴疥豫防方。賣之花街。果有效驗。則幷製酒毒豫防藥。賣之流霞之市。醲麴之氣。尚不能豫解。而奚得以區區之藥劑。解稟賦之酷毒。醞釀於氣血不測之鄉者哉。醫家或誤認上工治未病之語。以爲先於病服藥。是以設立無效法。夫上工之治未病也。猶聖人之治於未亂。兵革不動。攻伐不行。垂拱能治焉。兵凶器也。藥毒物也。亂而後兵可加。病而後藥可服。若先於病而可服藥也。孰人不可服藥也。先於亂而可加兵也。孰國不可加兵也。未病而服藥。無異于復衣待冬。飽食備飢也。聶尚恒云。豫防痘毒。若無故而逐冠於通都。不近理也。宜哉言也。

## 方證

夫方證之對也。醫道之綱紀。而醫聖之教導。莫重於斯焉。而古說痘痳之病源。自錢氏一唱升麻葛根湯。後世靡然出入于此。動云。疑似之際。宜與之。何言之無鑑衡也。痘之為毒。與他病大懸絕。雖愚夫愚婦。皆能知之。其疑似者。必輕證不藥而得中醫焉。彼方中葛根者。清陽明胃經之邪。素無發毒之力。升麻者。和陽明之血熱。亦無發表之勢。芍藥者。太陰脾經之主藥。收斂表裏之氣血。總質之古人之立方。則治協熱赤利時氣風疹之類耳。於毒氣猛烈之痘。則所不能也。錢氏論其病源。謂伏於命門。於其治方。投他經之藥。鳴呼奈方證不對何。顧錢氏之定方。本于肘後用蜜煎升麻濃煎升麻乎。痘者。初起於東晉。至葛洪之時。未經幾歲。故醫家治方未備。纔記俗閒單方耳。今試用之。固無效驗矣。夫痘毒之侵人身也。猶寇之入於門。主客戰爭於內。營衛為之震動。當此時。毒氣克則正氣絶滅。正氣持則毒氣退散。膿而爲皰。涸而爲痂。目前有形之毒也。是故非逐有形之毒則未可議方證之對也。有形者屬于血。無形者屬于氣。欲驅氣分之邪。莫如麻黄焉。欲逐血分之毒。莫如浮萍焉。麻黄之解瘍。固發汗之末力也。浮萍之發汗。實逐血之餘勢也。故配之行血避穢之藥。而治瘍家則遍身發疹而愈。其他治疥癩痒痱之類。豈非逐血毒之功耶。王宇泰嘗作浮萍瀉白散。以逐痲毒於肌表。千古之卓見。其功已驗矣。而於痘則闕之。蓋被蘇錢氏之僻說也。人或謂升麻葛根湯。用之無害。發痘之功。亦有

紫背浮萍、
酒製爲妙、
用之在初
熱起張之
際方今藥
舗誤賣滿
江紅非眞
浮萍必不
可用發陳
蕃秀容平
閉藏四方、
倶載省方
類鑑、

可以見者矣。德以爲否。凡疾病之愈與不愈。則因正
氣毒氣之勝敗。正氣不克毒氣者。固無論。於其相敵
者。則伐毒氣助正氣。其機全關于醫之手段。所方證
之對切于此。而司命之任。不免于此也。若夫正氣克
毒氣者。以從來定分。自輸其毒而愈。如是者。則喫白
湯。亦似有得焉。升麻葛根湯之於痘。可謂賢於白湯。
蓋於痘之醞釀膿血者。非逐毒於肌表。則不能。若欲
能逐之。則須任浮萍之有功也。德因是新作發陳湯。
直闢沴氣蓊蔚之道路。次之有蕃莠容平閉藏三方。
備痘之終始。數試之。大超越於他方。私以爲方證相

對爲。然至毒氣酷烈者。未能奏成功也。如是則幾乎五十步而笑百步。豈如避而不病之萬萬全乎哉。

## 避痘

夫殺無辜者。名之曰惡曰虐。惡虐之極。桀紂也。桀紂雖惡虐。其命有限。其殺無辜。亦有限矣。夫茫茫天地之間。有殺無辜而不飽。害生民而不厭者。名之曰疾病。疾病之殺無辜也。甚於桀紂矣。然而其殺也。不由天之所爲。人自取之也。孔子曰。人有三死。而非其命也。己自取也。夫寢處不時。飲食不節。逸勞過度者。疾共殺之。居下位。而上干其君。嗜欲無厭。求而不止。刑共殺之。以少犯衆。以弱敵強。忿怒不類。動不量力。兵共殺之。此三者死非命也。人自取之。嘻三死中。難免者疾病也。何者。以邪氣之侵人。不可視察也。是故聖人立四時調神之教。以治未病。作湯液鍼灸之方。以治已病。湯液鍼灸治已病之術也。愼身禁慾防未病之道也。雖則愼身禁慾。而方今之世。有人生必患之病。其病也何。曰痘。曰痲。濫觴於東晋之世。千五百有餘年于今。殺無辜害生民。無數之可以名。過桀紂之惡逆遠矣。桀紂之惡逆也。湯武能放伐焉。然未有加湯武之功於痘痲者也。近清乾隆帝勅纂醫宗金鑑。

中載種痘之術欲以濟生民之非命。可謂爲民父母之心深矣。然其說曰。正痘感於得病之後而種痘則施於未病之先。正痘治於成病之時。而種痘則調於未病之日。至理之良法。登赤子於壽域。又載可種證十有七。不可種證二十有四。豈其可種者。登於壽域。不可種者。不能登於壽域乎。可謂非普救之方也。本邦近世有唱種痘者。或善其術。醫不必上工。恐附驥尾之徒。害彼人之子焉。德嘗聞之吉雄氏此術昉於西洋殘忍之手。徐太椿源流論云種痘之法仙傳也。是欲神其事。彼邦醫流之癖也。夫寢處不時。逸勞過度者。聖人處之非命。而刱於使穢氣惡毒之物。親炙於人之鼻中乎。甚哉違聖教矣。凡疾之於人身。猶黴之於物。物得溼而黴。得燥而乾。未有在燥地而黴。在溼地而乾者也。生黴顯者。物之質也。感疾病者。人之性也。雖有可黴之質。避所以可黴則不黴。雖有可疾之性。避所以可疾則不疾。倘以有可疾之性。使之疾。猶以有可黴之質。使之黴矣。夫物不黴則全。人無疾則安。何弃安利之道。取危害之術耶。是則惡死而喜其所以死也。意其術。宛如以手搏莫耶。固出於不得已。何得謂至理良法哉。德熟思之。不如斷此毒。而使後世無瘟之生民悉登於壽域也。而斷之也不難矣。切避之而已。一郡一心而避之。則一郡不疾。一國一心而避之。則一國不疾。倘大之及海內。則萬世莫死痘之非命者。德證之所聞見。

本邦豆之八丈島。信之御嶽。秋山。飛之白河。北越之妻有。紀之熊野。防之岩國。豫之露峯。土之別枝。肥之大村。天草。五島。奥之蝦夷。自古至今皆能避痘之傳染。其避也。非關籥藩籬樂餌神符之所禦。唯莫使有其氣者入界耳。若有一人感之者。則移居於山野。使昔日疾之者供藥食。待其全愈而得歸正戶。若在他鄕之日流行。則速遁去。以此毒之傳染。不翅咫近病者。雖衣食器財。出於其家者。亦必傳輸毒氣。故避之之嚴。如此矣。就中。信之御嶽。屬于中山道之傳郵。遇痘毒流行之時。有傭役則贖之。不得已。則被網而服事。蓋俗諺所謂網目遮風之意乎。其怵惕之狀可想矣。人目笑之。笑者智而被網者果愚乎。重百年之性命。而取一日之嗤。孰與狎近惡毒之病。而死非命焉。善哉。一郡一島。能一其心。戰兢避天下周流之毒。以保其性命。不特保其性命。至今爲避痘之鑑。若無此鑑。則萬世眩惑於天行氣運之妄說。處之於人生必

患之疾而孰曉死痘之非命乎冀敎海內能避之則生民之幸莫大焉

## 避痳

痘之非時氣疫癘也已驗於避痘之國其死之非命也亦不待言雖然有避痘之國而未聞有避痳之國故無緣使人知避之而免矣此毒之流行也宛如風之偃艸殆似難免者矣然　德政言其所以必免之證一二安永丙申之春豆州加納村五右衛門者女有姙有故寓居于下田港于時痳毒盛行因恐毀其孕速去過蓮臺寺之溫泉既而聞此境亦有患之者又

去避之下加茂居旬餘而漸逼于此以故幸還鄉鄉
亦襲矣於是不得已去走長津呂此地病者已休因
款留五月而所在之毒氣稍稍銷亡竟得歸鄉而娩
其避痲也如避寇然又享和癸亥之春本州高室源
鹽美卿妻有娠時痲毒暴行漸逼近鄰胎孕皆斃矣
舉家恐患之將及德爲之慇懃說痘痲之傳染非天
行時氣避則必易免美卿乃是之使其妻攜長女避
之一室逮季夏聞父家西花輪村內藤氏之家此病
已畢往避之至初冬歸家而產以是母子三人得俱
共免矣同生東都人萩原市左衛門者貳役於駿之

赭石。輸材于東都。其傭夫皆壯年。而未疹痳者過半。因恐爲之怠役。相共謀貯糧食。不出山中。遂免之者。五十有三人矣。是皆避痳之明證。於是乎益知非天行時令之邪也。門生問曰。倘如師之說。則痘痳可避而免。雖然。使病者在山野。如避痘之國。似有人情之不可忍者乎。對曰。否。若誠欲避之。何必置之於山野邪。令曩病之者。侍令病者。戒約不近未病者而已。倘能每痘之所在如是。則斷傳染之根源。竭海内之毒氣。何難之有。如痳毒則海内不常有。故不須別禦之。禦痘之從外國傳來。則痳亦隨自斷矣。若能如是則不死於非命者。宇內其幾許乎。

斷毒論卷之下終

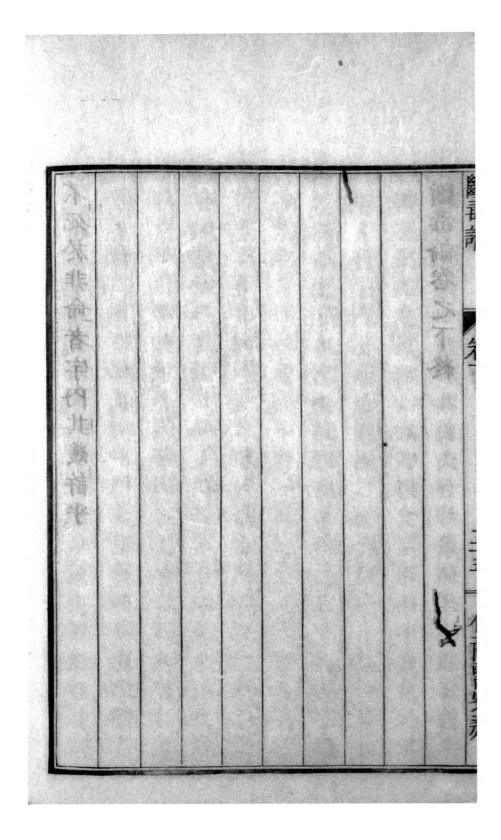

節齋著書目録

省方類鑑

節齋醫話

金瘡口授

續翻譯斷毒論

嗣刻

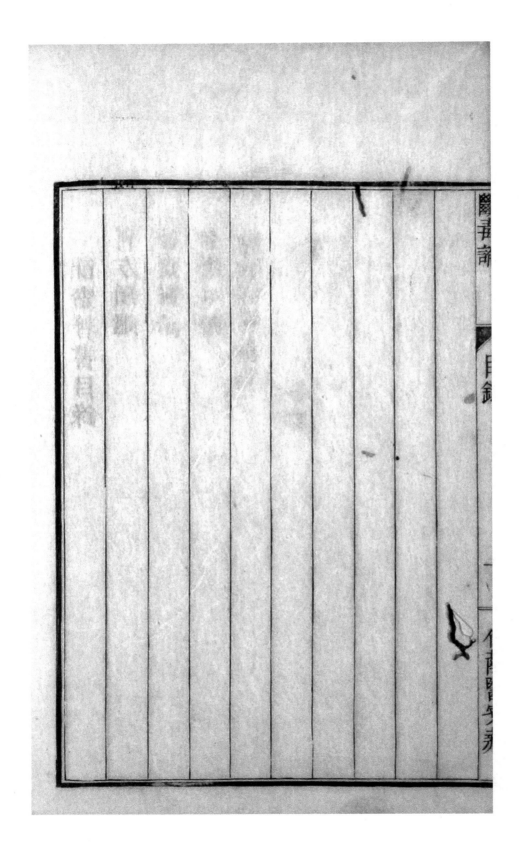

文化十一年甲戌秋七月

書林

江戸本石町四丁目　西村源六
同　江戸橋四日市　松本平助
同　日本橋南壹町目　須原屋茂兵衛
同　日本橋北室町三丁目　須原屋彌三郎